Mary

Bad

Gaitskill

Behavior

北京楚尘文化传媒有限公司 出品

［美］

坏

玛丽·盖茨基尔 = 著

刘怡菲 = 译

举 止

重庆大学出版社

献给

我的姐妹

珍妮
和
玛莎

一切陈规都在密织罗帐

使这座堡垒呈现

家的模样·

唯恐我们辨明身处何方

在闹鬼的树林中迷失方向

孩子们恐惧黑夜

他们从未愉悦亦不淳良

——W.H.奥登《1939年9月1日》

黛西的情人节礼物 1

浪漫周末 33

美妙不已 63

篡改之恋 93

联系 107

斯蒂芬妮的尝试 133

秘书 169

额外之因 193

天堂 229

● 黛西的情人节礼物

浪漫周末

美妙不已

篡改之恋

联系

斯蒂芬妮的尝试

秘书

额外之凶

天堂

乔伊感觉自己与黛西的这段风流韵事可能会毁掉他的生活，但他没有就此罢休。事实上，他就是喜欢这主意。很久很久以前，他就感知到了自己的生活存在愈加败坏的危险，而思考这种依然潜在的可能性成了十分有趣的活儿。

他与黛西供职的这家二手书店非常邋遢，位于曼哈顿东部的贫民区，两人同在秘书事务部。堆积如山的书籍安置在阴郁的灰色金属架上，一面脏兮兮的、底部爬满白色管道的墙将这个部门围成了一个四方形。满地皆是棕色书箱、稀稀拉拉的纸片、烟灰缸、泡沫塑料纸杯、破裂的椅子，还有一溜而过的小老鼠。顾客在这片小区域的边界走来走去找寻出口。离过道那一边最近的就是黛西，她总要离开座位，歪着眼镜、笑呵呵地帮助一些行动不便的老头儿。

乔伊的桌子与黛西正好呈对角，他总会目不转睛地盯着她看，然后才慢慢踱到茶水间。他唉声叹气，戴在脖子上的癫痫症患者识别牌啪啪作响。然后他坐回位子上，朝她弹橡皮筋。她通常要等到打字机上弹满红色皮筋时才会注意到他干的好事。她会抬起头，温和、憨厚地一笑而过，细长的手指慢慢悠悠地翻着书页。

他关注了黛西将近一年才开始献殷勤。他和狄安娜同居了八年，他并不愿意改变一丝一毫的安稳状态。再者，他爱狄安娜。他们如此幸福的八年，如今差不多成了个制度。

他在贝宁顿遇见了狄安娜。她在艺术系的声誉、她贩卖的迷幻药质量和她的粗蛮，都给他留下了深深的印象。她个高，俊美，三十三岁，紧绷、黏实的双肩太过紧张，导致她的肌肉始终蜷缩在一起。结果，她的肌肉发达极了，哪怕她什么都不干只是躺在阁楼上吸毒。他凭借着在书店当会计和贩卖毒品来赚钱养她。她依靠被鉴定过的精神病患者身份来对付政府的检查。

他们一周中有三天半要用来享受迪西卷的快感。他们虔诚地将所有在一起的时间都花在了那上面。星期四早上，乔伊的首个工作日，他们便开始行动。乔伊在书店上一整天的班，然后回家着手自己的工程。他会把电脑拆掉，将一小块一小块的灰色物体分散在地板上。他蹲在地上，耗费数小时去摆弄这些堆着的东西，直至把它们重新装回。他也会做点其他的事。有一次他对着卧室里的牛骨架拍了一系列蓝白照片。他会录下许多噪声，当它们混在一起时，他感觉悦耳极了。他会编电脑程序。有时候他就一边听唱片，一边拿出玩具箱里的发条式玩具，任凭它们东奔西跑。从前的狄安娜会埋首于巨大的滴状斑点画里。到了星期天，阁楼的地板上铺满了传真纸，纸上覆盖着星星点点的丙烯酸颜料，喷上水，等交融后就形成一道道暗紫色流。她过去作一幅画要用上几个月的时间，一旦完成后就毁灭它。现在她完全不画

3

了。取而代之的便是熬夜看电视、遛狗，或者用电脑查看人体节律周期图。

星期天，乔伊下班回家，他挂着眼袋，全身肌腱以各种搞笑的方式向外突着。狄安娜会准备好两小份沙拉，盛放在她的祖母赠送的小红碗里。沙拉的顶部总是会整齐地撒落着一些水嫩小萝卜切片。他们吃完沙拉就一觉睡到星期一晚上。之后狄安娜会订街角一家日式外送店的寿司，待寿司送达后，她就把它们摆放在长木块上。撒点盐和柠檬汁，直接就用手吃。有时候会有人来买毒品，他们就会放点音乐，闲扯上一会儿。接着他们睡觉。到了星期四的早上，他们才重新打起精神，准备着星期日才有的下一次睡眠。

他们一个月做一次爱。并不会持续太久，因为两人都深觉此事单调乏味，人们借以延长时间的大多数事情都令狄安娜作呕。然而，当乔伊开始对黛西起了念头，他便停止了对狄安娜的求爱，此事让她愤恨不已。

也有别的事情引起她的愤恨。他的发条式玩具让她恼火。如果他把它们留在了地板上，她就会一脚踢过去。她不喜欢他每个星期三早上吃的冰冻山核桃卷。她会抱怨它们有多么让她反胃，接着她会一下子吃掉一半。

黛西也在和某个人同居，但是她会在书店里上蹿下跳喋喋不休地

4

倾诉他的不忠，好像这是她唯一有必要谈论的事情了。他喜欢看她穿着运动鞋在桌子之间吧嗒吧嗒来回跑，牛仔裤会跟随她狭窄的步伐轻轻搓磨起她小巧玲珑的大腿。当他并没有照他说的那样打来电话，她就必须知道伊芙琳和阿里以及她身边所有人对此事的看法。接着，她就会好奇如果她打电话给他并且诅咒他，那么他们会有何想法。诸如此类的事情数之不尽。她的主管汤米非常纵容她，因为他就是那种乐意倾听女人情感问题的同性恋者。他不赞成她在男友背后咒骂，但是每当出现了一位新的男孩将她拖进泥塘而她正好又深陷其中的时候，汤米就会非常享受这每一次的说教机会。黛西会说："汤米，我在想办法赶他走。可他不走。我无计可施了。"

乔伊曾听到汤米向另一个主管承认过黛西的糟糕表现。"但她的情况特殊，"汤米说，"我不会解雇她。她还能干什么呢？"

这种话乔伊可不会轻易就相信。打字小组里别的混混就真比她更有资格了？这里每个人都不擅长打字，除了伊芙琳。伊芙琳是那里仅剩的一个女孩了。她精力充沛，长了一张方下巴，一分钟能打八十个词。她身着紧身牛仔裤和牛仔衫，眼角上窝了一团团粗黑的眼线。染金的头发挂在脸上真像戴着面具，酷毙了。她收集了大量有关谋杀犯的书籍，就堆在桌上。她可以向你讲述所有罪犯的个人史。

另外三个打字员是清一色的同性恋，既肥胖又孤僻，他们就坐在自己的桌子前，吃吃袋装的曲奇饼，发发牢骚。他们在书店工作了多年，他们会一致绝望地谈起"出走"。阿里在这里待的时间最长。他六英尺三英寸高，圆润端庄的肩膀，肥大的屁股，还有让他难为情的方形肉胸。他的脑袋很小，长鼻子崎岖不平，褐色的大眼睛惬意地交替着无辜和凄凉，然而要说到他的其他方面，能提的特质也就只剩下令人不安的空虚了。他在朋克摇滚圈里曾因电钢琴乐而享有过一阵短暂的恶名。他用温顺留恋的口吻讲起曾经的辉煌，展示自己穿黑衣、戴黑色翼尖太阳镜的老照片。他敏感得有些可怕了，汤米就爱利用他的敏感来取笑他。"阿里是打字小组的精神，"汤米会在他抱着一堆纸奔走于一个又一个职员间的时候没完没了地唠叨，"你们需要鼓舞的时候就去瞧瞧阿里。"

"求你了，汤姆，我都要哭了。"阿里哭丧似的回应道。

"那的的确确就是我要说的！"汤米高声宣布。

乔伊第一次注意到黛西的时候他就纳闷了，为什么这么漂亮的年轻姑娘会选择在这么一家污秽破败的书店里工作，还得属于一群愁苦的同性恋之中？随着时间的流逝，不相称的感觉越变越小。她在打字小组很安逸。她喜欢听男孩子们谈论皮革酒吧里的冒险经历，在那个地方，男人们可以在开敞的木格里口交，或者在别人身上撒尿。她讲海伦·凯勒和性的笑话。她谈论她的男朋友们和她的绘画。她总是蹲伏在伊芙琳的桌旁，窃窃私语或者嘲笑什么，或者看看伊芙琳过期的《真实的侦探》杂志。她穿印有卡通人物图案的 T 恤和鲜艳的短裤。剪短的棕色头发形成了柔软的弧度，每一侧都刚好在颊骨处收尾。她走路时肩膀和长脖子挺直得就像忙碌的鸭子，但是屁股和腰部的移动却很流畅很柔和。

同性恋男子们总是会站到她的桌前对她讲一些诗歌和政治观念，而她则点头注视。甚至，这些男同志在她的面前培养出了某种特定的逞能。汤米不停地安慰她说，她的王子即将出现。"我有预感，黛西，"他眉飞色舞地说道，"你的真命天子正在朝你迎面而来的路上。"

"你真这么想的，汤姆？"

"显而易见！你不激动吗？"

阿里随即会起身，笨重地走向她，弯下腰，伸出肥硕的大手环住她的肩膀。乔伊能看见她白皙的小手出现在他宽阔的侧身，耐心地轻拍他。

就像这还不足以让她成为地下室人群心跳的对象似的，她还会善待那些会遭到排挤的弱势群体。有一个古怪的老太太时不时地就来书店寻求她的仁慈。这位太太至少六十岁了，脸上盖着一层厚重的橙色彩妆。她会买恐怖的血红色封面的畅销书和自助类书籍。她会在黛西

7

面前站上半小时谈论她的沮丧。黛西会关上打字机，手托着下巴面对那个老太太。她神情凝重地聆听，有时候她们意见一致，她会收下老太太给她的小袋子硬糖，允许她吻她的面颊。每个人都无礼地批判着黛西和"那个疯狂的同性恋老女人"。可是黛西依然谦恭地关怀那位不幸的女人，即使她常常会在她离开以后取笑她。

乔伊没有想过和黛西做爱，至少没有考虑过细节问题。他更多的想法是接近她保护她。她显然是糊涂了。她四处张望寻找解答，渴望有人能告诉她该如何打算。"我只是想听听你的意见。"她会这么说。

有一个客人被她称做"答案先生"，因为他宣称自己可以通过"笔仙"预言未来。他是一位上了年纪的英俊男子，身着价格不菲的西装，看上去他至少做过一次拉皮手术。他光顾这家书店很多年了。每一次他光临，黛西就会把他引到角落问点问题。他用红笔浅浅地写下答案，带着一副傲慢可怕的表情递给她。她要么备受打击要么兴高采烈。随后她会到处宣传他所说的话，检查红笔涂鸦的书店信纸。"他说我的画在一年半以后就会成功的。""他说我的身边没有一个值得去爱的男人，未来的几个月里也都不会有。""他说大卫下个月就会搬走。"

"你是不是太把这玩意儿当真了？"乔伊问。

"噢，不完全是这样，"她说，"但很有意思。"她回到座位上，把纸塞进了抽屉，她开始打字，她依然神采奕奕地仰着头，因为有个潜在的疯子告诉她，她最终会获得成功。

他开始在家里想念她。他想象她被他的胳膊抱着躺在他的身上。他想象她穿着白色和服，从扇子后面偷偷看他，她一笑，眼妆就起了褶子。狄安娜起了疑心。

"你远在千里之外了，"星期天的沙拉餐后她说，"你怎么了？"

"我有心事。"他的语调证明了她的忧伤徒劳无望，她开始害怕和愤怒。她什么都没有说，而这正好是他所希望的。

那晚他没有和她睡在一起，尽管他已经困得要死。他在阁楼上走来走去，用狄安娜的短马鞭敲打家具。猫咪被激怒了，眼神里尽是焦躁，受惊的尾巴竖起。乔伊的眼睛干燥得凹陷下去。三日不眠让他的背疼得团成了疙瘩状。

他开始采取行动以吸引黛西的注意力。他讲笑话。他在脸上抹香水。他穿红色短裤，腰带上插了一把刀。他练习劈叉和倒立的运动。他谈起自己在本宁顿的戏剧系里扮演的鲜活角色以及他与安德烈·格雷戈里一起听过的课。他提到了曾经的空手道课，他在课上一拳打穿了装满书的箱子。她说："乔伊做了一切！"她的声音颤动地发出了胜利的信号。

很久以来他也只是默默地注视她。仅只这样让他如此快乐，他害怕去进行任何别的尝试。也许将她锁在回忆里，保护在羽翼状的遮挡之下会好过去碰触这生动的女孩，接着再把她弄丢。

他决定在情人节送她一张卡片。

他花了好几天的工夫去寻找情人节的素材。他在一本旧的儿童图书里找到了他要的东西。这幅渐渐退色的水彩画上有三朵红色罂粟花，同一片土地上还有粉色的三叶草和几棵无瑕的小野草。一只蜜色的蜜蜂像梦游一样闭上了眼睛爬在花梗上。一只水绿色的蚱蜢飞翔在模糊渐落的蓝天上，它如此安详地合上了双眼，多毛的前腿滑稽地悬置，而后腿欢快地踢向空中。这是张失真狂热的小画作。所有的颜色都不对劲。这让他想到了天堂。

他从书上撕下了这页，又盖上了一张脆性纸，这片风景便被蒙上了一层泛黄的薄雾纱，显得遥远而神秘。他在卡片底部画了五颗线条怪异的爱心，并无意识地把它们画得有大有小。他给它们涂上了红色，在下面写上"时光之声就是刺客"。

在情人节前后的几天里，他都揣着卡片去上班。他无数次地想着要交给她，但每一次又都改变了主意。他天天要检查一遍，看看时机是不是足够成熟了。当他认定完美了，他又想着或许一直藏在抽屉里会更好，只有他一个人知道这是为她而存在的。

终于，他开口了："我有一份情人节礼物要送给你。"

她屁颠屁颠地走到他的桌旁，笑容颇为贪婪："在哪儿呢？"

"在我抽屉里。我还不想给你。"

"为什么不给我？情人节都过去一周了。我现在还不能看吗？"她把手指放到他的肩膀上，犹如柔软的小爪子，"现在就给我。"

他把卡片递出了之后她一把抱住他扑上他的身体。他痴痴地笑了，伸出手抱她。他哀痛地放开了隐蔽的占有感。

那一晚他吃不下菠菜沙拉。红与白的小萝卜华丽地绽放，却浑然只是轻浮的诱饵。狄安娜坐在他对面，冷冷地动着下巴。她挺直了背僵硬地坐着，喉咙似乎被勒紧得使吞咽变得难上加难。他在沙拉里挑挑拣拣，干净的叶子被他翻来倒去。他的目光越过她的头顶，他叹气，干燥的双眸在眼槽里燃烧。

"你看上去真像个笨蛋。"她说。

"我就是。"

次日他便带着黛西外出午餐了，尽管他什么都吃不下。他点的沙拉竟是用米黄色的塑料碗盛的。惨白的胡萝卜卷和小萝卜片凌乱地丢在碗里，好像在谴责他。他熟视无睹。他看着她吃着自己碗里的青白色的冷面。螺旋状的面条油光闪闪，配以鲜明的滑肉片和蔬菜点缀其中。黛西从容地吃下去，一次三个。

"你不能想象这对于我有多幸福，"他说，"我关注你已经很久很久了。"

她笑笑，他想她并不敢相信。

"你那么柔弱那么温和。你就是一朵精致的小白花。"

"不，我不是。"

"我知道你可能不是。但是你太像了，对我而言绰绰有余了。"

"狄安娜怎么办？"

"我会离开狄安娜。"

她放下叉子，注视着他。下巴的咀嚼既认真又可爱。他对她微笑。

她吞了一口，多么干脆利落的一口。"别离开狄安娜。"她说。

"为什么不？我爱你。"

"噢，亲爱的，"她说，"事情越来越麻烦了。你为什么不吃沙拉？"

"我吃不了。我用过了药。"

"你什么？"

他逼自己吞下了惨白的菜叶和胡萝卜条。

他们离开了餐厅，漫步在街区里。黛西一头栽进凛冽的寒风里，灰色的短大衣像帆一样飘浮在她的身后。他握紧她戴着手套的手。"我爱你，"他说，"我不在意任何事情。我想用我的保护来罩住你。"

"我们在这儿坐一会儿吧。"她说。她坐上了一块碰巧凸起的黄色砖头，后头就是一栋印象中用黄砖砌成的公寓大厦，朦朦胧胧的灰色玻璃屏蔽了看门人脸上阴郁的斑渍。他贴着她身边坐下，握着她的手。

"我得告诉你一些有关我自己的事，"她说，"我并不善于接受仰慕。"

"我并不介意你是不是善于接受它。它就在那里。"

"但要是我没有回应，难道你就不会不高兴吗？"

"我会失望吧，我猜。但我依然很荣幸能为你保留这份感觉。这并不需要回报。"他真想用手按住她的脑袋两侧然后挤挤它。

她目不转睛地看着他。"我最近才和别人说过，"她说，"照你推测这会不会是某种趋势？"

风吹起了她的刘海，暴露了白皙的前额。他突然吻上了这片空地。她把头贴上了她的肩膀。

有一位老太太正望着他们微笑，她穿着缀有一枝亮片花朵的粉色大衣，亮片花瓣在她的翻领上扎眼地绽放开来。皱纹和粉重重地盖在她脸上，似乎微笑就被压得难以绽放了。她坐在离他们两尺以外的矮砖墙上。

"我没有说明白，"黛西说。她抬起头，困惑的大眼睛看向了他，"如果你对我好，那么我很可能会伤你心。我曾这样对待过别人。"

"你不可能伤害我。"

13

"我只会善待对我最重要的人。曾有个人告诉我要远离某某人，因为他对女人施暴。他们说他打断了他女朋友的下巴。"

她顿了顿，他猜想她是为了强调吧。那位老太太的脸色变差了。

"于是我开始放肆地与他调情。很病态吧？"

"发生什么了吗？"乔伊饶有兴致地问。

"没有。还没开始他就去了贝尔维尤。但是这难道不够糟糕吗？我真的是想要这家伙打我的。"她又一次停顿，"难道你不觉得恶心吗？"

"噢，我不知道。"

老太太缓缓地站起来，低头踏着僵硬疼痛的脚步离开了。她的大衣被风掀起，青筋暴露的大腿竟然美得出奇。

黛西的头转向她。"看见了吧，"她说，"纵然你没有，但是连她都感觉恶心了。我们扫了她的兴。"

每天下班后他都只把黛西送到离家两个街区的拐角处，因为这样才能避免遇上她的男朋友大卫。拐角上有一家药店，橱窗里有一把绉纸，上面堆砌了五颜六色的香水瓶。药剂师是一位大腹便便表情失落的中年男子，他站在门口看着他们说再见。这是一个热闹的角落，车辆在马路上野蛮地飞驰，人们跺着脚，视线却洒向不同的地方，他们的手里要么是包裹、公文包，要么就是狂嚣的巨大收音机，他们的脸上全神贯注却虚无空洞。黛西如香蒲一般沉默脆弱，乔伊的手里还握着她那毛绒绒的黑色手套，她焦急地扫视街道寻找大卫。她说了好几次再见，可当她转身要过马路时他还是会一把拉住她的衣领。当他的第二次阻止成功后，她叹了叹气，垂下了脑袋，开始到处搜索起口袋里的无用纸片，她将纸片撕成了雪花状任凭它们散落在街灯下那只已堵塞的金属垃圾箱，好似它们就是一种无效的消息。她像被困在了角落里，既然如此，那么她最好还是做点有用的事情，比如清理清理自己的口袋。

那一日，他最终放她离开了，而他留在原地站了好一会儿，目光穿过行军似的路人，目送她跑向了马路的对岸。他走了半个街区来到一家亮起橙色灯牌的糖果店，他买了几袋白色装的糖豆子。然后他上了出租车，像一位苏丹王一样坐回了家。他走过客厅的时候没有搭理狄安娜仇恨的瞪视，他捧着糖豆子把自己关进了卧室里。

他想去解救黛西。她会满脸虚幻无知地走在街上。一辆汽车会从垃圾成堆的角落驰骋而过，她会卡在这条路上，惨白的脸上无助得就像蜷缩一团的小兔子。他不知从什么地方跃了进来，一只手将她拉起，两人一同撞入人行道的安全地带，她的头始终垫在他的手臂上。或者有个图谋不轨的青少年上前和她搭讪，一手攥着她的衣服将她推向墙壁。突然他发动了攻势。乔伊狠狠地将小朋克踹到崩裂的墙上，他的腿发狂地飞起来。"要是你敢欺负她，那么我就……"

他快乐地叹着气，又吞了颗药丸和一把糖豆子。

"我母亲不能理解我，也不为我做任何事情，"他说，"她觉得她的所作所为都是对的。"

"听上去她就是个泼妇。"黛西说。

"噢，倒不是。在既定的环境里，她只做她力所能及的事。她最终才认识到我的智力远远在她之上。"

"那么为什么她让她的男朋友打你？"

"他没有打我。他是只肥胖的蠢蛋，他会异常兴奋地扼住你的头颈然后问你感觉怎么样。"

"他的确是打了你。"

他们在一家昏暗的小酒吧里。地板和桌子都是嘎吱嘎吱的老木头制成，一面墙上还镶嵌了半月形的有色玻璃窗。桌上配备爪形的刀叉，法式炸薯条又大又湿。女侍者纵然还很年轻，却将自己当成了恐龙，一双笨拙的小手，大腿上印出紫色的静脉。不过她们很友好，她们会用正眼看你。

黛西和乔伊来此处吃午餐，他们坐在深陷高背的隔间里。乔伊没有吃东西，但现在黛西明白了原因。他一面喝酒，一面观赏她有节奏地啃咬汉堡包。"我始终不明白为什么她嫁给那头可恨的猪。我问过她，她说'因为他让我感受到了稳定和安全感'。"

"可我感觉不到他的稳定。"

"我猜他是有的，相比我的父亲而言。但是我爸爸常常醉得除非坠落否则都没法下楼，更不必说有份工作了。我是说，我们现在谈论的这家伙，嘴里高唱着'乔伊，弗伊，波——波伊，香蕉女郎噢——鲍伊'死在了精神病房里。比起他来，所有的窝囊废都称得上是稳定的。但是汤姆？至少我父亲还有个性可言，你可不会发现他的身上会穿着丑陋的涤纶衣服。"

黛西的身体倚靠到小隔间的角落里，她满脸肃穆地注视他。

"当她第一次在电话里告诉我她要同汤姆叔叔结婚时，我是很高兴的。至少我可以回家了，而不必再与那些不知是基督徒还是科学家、让我穿着弱智的格子短裤去上学的亲戚们住在同一屋檐下了。"

"她不该这样撵你走。"黛西说。她坐起身子，把酒杯往自己这里挪了挪，嘴唇颤颤悠悠地咬住了吸管。

"父亲去世以后，她认为这件事她做得正确。只有她不知道亲戚们是多么厌恶我。"

"我不明白为什么她想当然地认为她把十六岁的你扔出家门是正确的。"

"他并没有赶我走。我只是明白，针对我是否是同性恋的频繁争论已经伤透了我的母亲。我意识到自己比他们更像是成年人，是我决定要换个环境的。"

黛西的身子向后靠去，双手捧杯，吮着吸管，面颊微微打战。她啜完最后一滴酒时，从杯底冒出了爽口的汩汩声。他笑了，抓起她的手。她捏了捏他的手指。他大口地往嘴里灌酒，他的脉冲来回搏动。在他十六岁那年，他并没有真的被撵出家门。十八岁的时候，汤姆被他的反越战海报激怒了，他一拳搂向他的鼻子。

黛西随手将杯子放在了桌上。她靠近他。他搂住她的脑瓜，又点了些酒。

"他们不敢相信我获得了贝宁顿的奖学金。我申请的时候甚至都没说过一声。他们早已感觉自卑。"

"你退学回到了母亲身边吗？"她的声音模模糊糊地从他的肩膀后传出来。

"我退学是因为无法忍受那些人。我无法忍受艺术的理念。艺术只有在完成的瞬间才是完美。之后它便死亡。它不过就是废弃的屎。所谓艺术家，不过就是积攒屎尿的人。"

她稍稍往外挪了挪，伸手去拿刚上来的酒："我是艺术家。狄安娜是艺术家。你为什么会喜欢我们？"

他亲了亲她颈上暴露的蓝色青筋，他很享受自己傻瓜似的心跳："你就像一个美丽的影子。"

忧虑突然闯进她的目光："你喜欢我只是因为我像你。"

他宽容地微微笑，轻抚她的脖子："你不像我。没有人像我。我是个'奇观'。"

她累了，转身取酒："你无法适应环境。我也一样。我们不属于任何地方。"

"嗯……"他的手伸进她的衬衫，抚摸起她的小乳房。她的头埋进他的脖子里而手则伸向了他的双腿之间。她的声音贴着他的肌肤颤动："大卫下周要去外地演出。你愿意过来陪我吗？"

"也许吧。"

可有时候，他感觉黛西太过迟钝了。他是在观察狄安娜的时候联想到这点的，当她粗鲁地挖着指甲时，他留意到了她坚定鲜明的唇线、坚挺的鼻子，以及收紧的裸臂肌肉。她从不询问恼人的毒品问题。她从未想过成为一个社会的格格不入者，或在其中找到自己的位置。她厌恶社会。她坐如磐石。眼睑沉重的眼睛冷漠地半合，倾斜的脑袋、纤细严谨的手臂、安置在灵敏的手指间的烟，三者完美协调。

但是太晚了。除了辱骂，狄安娜不再对他说任何话。她调整了她的服药日，这样就能避开他的进度。有时候她根本就不服药。她说那会让她哭。

有一天他下班回家后发现她哭了。狄安娜很少会哭，他愣了好几分钟才意识到她的脸上滑过了泪水。她坐在床边一把老化的紫色扶手椅里，抬起一条腿弯曲着，这样膝盖正好就能遮住她的脸。她肩膀紧紧地蜷起，手紧紧地握着自己裸露的长脚丫子。她看着他走过来。她等他走到了门把手这里才说道："你和别人约会了。"

他停下脚步，面向她，这是她第一次开口，他充满感激地松了口气。"我本打算告诉你的，"他说，"可又不知如何说起。"

"卑鄙！你就是一坨屎。"

"没那么严重，"他说，"不过是着迷了而已。"

"是黛西吧？"她将这个名字念成了一种疾病。

"你怎么知道的？"

"你提起她名字时的样子出卖了你。真够病态的。"

"我并没有料到这事会发生。"

"你就是一摊烂泥。"

就是这时，他察觉到她的脸颊和下巴上泪光闪闪。眼泪在她静止的面容上显得痛苦酸楚。他扔掉糖豆子，朝她移去。他坐到椅子的宽扶手上，抱住了她僵硬颤抖的身体。"我很抱歉。"他说。

"和以前一样，"她说，"和丽塔。太恶心了。"

"经过这事，如果你还想和我住在一起，那么就……"

"我希望你在月底前滚出这里。"泪水在她的声音中闪动，就像阳光颤抖地洒进泥潭中。他想和她做爱了。

"你是我见过最残忍的人。"她几乎喘起了粗气。她猛地从椅子里拔起，走开，还一脚踢翻了绊脚的糖豆子，糖果撒得满地都是。他等到她离开房间后才一把捞向红、橙、绿色的糖果。他一边吃着糖果，一边看向了观景窗外的街道。两个穿着难看的夹克衫的毒贩，正驼着背缩在铁丝栅栏上一个粗糙的洞口旁。我是一摊烂泥，他想。

他回到自己的房里去想念黛西。

第二天早上他走到黛西的桌旁，坐在了她身旁一只书箱上，箱子印有航运部门主管的粉笔画。她用双手捧住保丽龙杯喝水，深色妆的眼睛仔仔细细地打量了杯子一圈。

"她说我是她见过最残忍的人。"

"哦，你可没有那么坏。她只是没见过世面而已。她不知道外边的情况。"

"你不了解我。"

她放下了杯子："昨晚我和大卫谈过了。他也哭了。他一动不动地躺着，硕大的眼珠子瞪着我。很可怕。"

她拿起一张硬纸板开始将桌上的老鼠粪便扫到一块："现在他们都知道了。"

"我们今晚可以去看戏了。我有《女武神》的门票。你可以来点儿药，我们可以夜不归宿。"

"我可不想用药。"她拉出桌下黏着咖啡渍的垃圾箱，抄起纸板嗖嗖两下迅速将老鼠屎掸进去。

黛西从未去过剧院。"他们会不会拿着盾牌戴着头巾吹着号角？"她问道，"会不会有一只纸恐龙之类的东西飞过上空？"她认真地思量起拉上帷幕的舞台。

"可能没有，"他说，"我想这个作品是受到了德国印象派的影响，就是说他们尽可能避免服装与舞台布景。它们的重点是象征主义和最少的设计。它是对较早时期的一种反抗，之前……"

"我想看上空飞过一条龙。"她从他在剧院买的薄荷糖罐里拿出了一颗，扔进嘴里簌簌地吸吮着。她把糖移到脸颊这边，问道："你为什么喜欢这出歌剧？"

"我不知道，有时候我欣赏音乐，我想看看它们如何将作品混在一起。我喜欢观赏人物。"

"我也是。"

"有时候我喜欢幻想，剧场会突然被精神病患者或者恐怖主义者之类的人来接管，然后我拯救了人类。"

她停止了吸吮，头转向了他："你怎么做？"

"我跨越包厢的栏杆，沿着幕布降落至与绳索平行。接着我就跳上绳索向空中飞舞——"

"那不可能。"

"好吧，对。我知道。这是幻想。"

"为什么你会有这样一种幻想？"她的面容有点不安。

"我不知道。这并不重要。"

她仍旧直视他，不过目光里几近悲恸欲绝："我想是因为你离群索居吧。你想有一番极端的作为，从而向人们彰显你对他们的爱，同样你也配得上他们的爱。"

他拉过她的脑袋靠上肩，亲了亲她。他说："有时候我只是想惹得你心烦意乱。"

她把薄荷糖罐放到膝盖上，紧紧地抱牢了他的腰。

他们离开剧院的时候已过午夜时分。他们走进一家霓虹灯闪亮的熟食店，这家店雇了几位身穿红色夹克衫的老侍应，其中几个人满嘴粗话。黛西说服他点了一份沙拉和奶昔；她担心他吃得太少。他别扭地啜饮奶昔，观看她吃奶油芝士和鲑鱼。她诉说自己与父亲的恶劣关系，还会稍稍停下一会儿，低下脑袋用舌头粘起落下来的羊角面包碎片。店员四处奔波，有的两只毛手都托着餐盘。

他试图让她吃点药丸，这样她可以与他多待一会儿，但是她说她对大卫心存愧疚。她还想再作些画。她叹了叹气，看向了地面。她挣脱了四次他才放手。他望着她离去，心想："现在来不及买糖豆子了。"

当他打开公寓的门，狄安娜一拳打在了他的脸上。他震惊了，傻傻地站着任她又揍了四次他才捉起她的手。

"你个下流的野种！"她尖叫，"你和她去了剧院！我们总是一起去剧院的，而你竟然带上了那个荡妇！"

"我一点都不知道你想去。"

"好吧，我不想。我等着你下班回家。"她带着哭腔的声音结结巴巴地说，"我从来没有想到你会和那个荡妇一起去。"

"她不是荡妇。"

她的另一只手甩出来拧住他的耳朵。她使劲拽他的耳垂，一把扯下了他的蓝色小耳环。它砰砰落地，闪闪发光地滚走了。"浑蛋！"他叫道。他跪倒在地，手掌心贴住了地板，"你一点都控制不了自己吗？"

"我在狗屎面前可没有自控力。你他妈给我滚出去。"

"你就不能等等让我找到耳环吗？"

"我才不关心你他妈的耳环。在我还没有杀人之前滚出去。"

"天哪，你真不可理喻。"

他竖起耳朵想着砰然摔上的门后会传来呜咽声。什么都没有。他的耳朵出了血，脸上烫极了，但是他却兴奋异常。他对狄安娜如此沮丧感到抱歉，但是一股暴力的怒火正在骚动着，兴奋着。这就是那种他会跟别人讲述的故事。

街上尽是喊喊喳喳的瘾君子和拎着巨大收音机的孩子们。他们乱哄哄地对着楼房站成一排，从墙壁和栅栏的小孔里爬出去。他经过时，他们冲着他咕噜道："我有蓝色，我有红色，我有绿色和黑色，从上个星期开始。"

他穿越三个街区前往艾略特的公寓，他并不指望艾略特能开门，但是他还是按下了蜂鸣器。当艾略特疑惑的声音从对讲机的微型小孔里发出时，他吓了一跳。

"联邦调查局的。"乔伊说。

一阵勉强的静默之后蜂鸣器开始尖叫。当乔伊走到门口，艾略特探出了脑袋，一根手指放在嘴上示意安静。一绺绺棕色的头发形成邋遢的光圈凸显出来，他那双生着纤细睫毛的圆眼就像癫痫症患者一样睁开，眼眶里泪光闪闪。"不论你做什么都别提起毒品，"他低声说，"如果你不得不提，那么就说'枪'或者别的什么吧。但是别太突兀。"

"好吧。"乔伊说。

"他们给这里装上了窃听器,"艾略特解释道,"我们都快把这公寓拆了但还是没能找到窃听器。你肯定没有被人跟踪吧?"

乔伊点了点头。艾略特伸长了脖子,茫然地凝视空无一人的门厅,他艰难地眨巴着湿润的眼睛。在确信了之后他才允许乔伊进屋。

丽塔躺在沙发上,面前是一台未完全掀盖的电视,屏幕上闪着无声的画面。她的长腿搁在沙发边,脉纹清晰的细弱手腕连接的尽头便是无力的双手。她的头垂在修长倦怠的脖子一侧,几乎就要落到沙发上了。当她发现乔伊的时候抬起头,乌黑的目光燃烧了。

他用手拍了拍她,坐进了一张硬背椅。"狄安娜把我赶出家门了。"他说。

"是吗?"艾略特说。他蹲下来浏览起散乱在地板上的唱片。

"没关系。反正我也想搬走了。我恋爱了。狄安娜和我彻底结束了。"

"你五年前就该做此决定了。"丽塔说。

艾略特转过头,手里晃动着一张唱片:"你该听听这个。最难以置信的东西。"

"噢,耶稣基督,那唱片十年前就出了,"丽塔说,"只不过因为你才第一次听。"

艾略特撕开了唱片封面,把塑料纸丢在房里,他面对着唱片机的转盘前跪了下来。他抬起指针检查了一番然后小心地吹了吹。

丽塔提起两条长长的腿，然后并拢骨瘦如柴的膝盖，让脚尖向前，她坐好，"你爱上谁了？"

"你知道吗，她还是会放那些你在浴缸里的、愚蠢的录像，"艾略特说，"她一边看一边手淫。真滑稽。她会给每一个人看。"

"是谁？"丽塔问。

"书店的女孩，叫黛西。"

"哦。我就知道。"她身子向前倾，在凌乱的桌子上寻找火柴。乌黑的秀发像折翼一般优美地横落在她的脸上。她向后仰，脸又一次露了出来。涂着彩妆的眼圈又暗又黑。"你有药丸吗，乔？"

艾略特突然跳起来。"别提这个！"他尖锐地说道。

"哦，你个浑蛋，"丽塔说，"有……袜子吗？"

"当然。"乔伊往她的手心里倒了彩色的一把。

"你打算对我做什么？"艾略特的声音从牙缝里挤出来，"你是为他们干活的，还是怎样？"

乔伊四处看了看，他们真的快把整座公寓给拆了。枯死的植物翻倒在破碎的花盆里，破枕头中溢出的黄色泡沫粒撒在了地板上，纸板箱和拉开的盖子一起放着，里面的东西一览无遗，搞得遍地都是。文件柜倒下，拉开的抽屉释放了一出雪白的纸之舞。至少破碎的酒瓶还算稳妥地被扫成了一堆。

艾略特少有的几本藏书整整齐齐地摆成一堆存放在沙发旁。乔伊可以找到他卖给他的三本《巴托洛夫》。就在艾略特发现乔伊药物来源竟是著名诗人亚历山大·巴托洛夫时，他顿时产生了敬畏之情。

"哦，得了吧丽塔，只要口交就可以了，"艾略特说，"我不会得寸进尺的。"

"休想。"丽塔说。她躺回沙发里，蜘蛛一般的白手捂住了眼睛。软弱无力的长腿唤醒了黛西的情人节礼物上的飞天蚱蜢。

"她对你仍有期待，你知道的，"艾略特说，"我还是不得不听她叙说你绑牢她捆她巴掌的事。"

"我们就不能换个话题吗？"乔伊说道。

"好吧，"艾略特欣然接受，"我要去趟厕所了。我有点犯恶心。"

"别放松警惕，"丽塔说，"他一分钟后就会回来。"

"我没事。"乔伊说。他从桌上拿起一本杂志。翻开，映入眼帘的是位戴面具的女子，而一名男子正用泵为她身上的红色潜水衣充气。下一页，裸体的女孩被皮带捆绑跪在厕所的地板上。有个表情猥琐的小伙子手拿橡皮管正从她身后靠近，她回过头，唇瓣因羞涩的恐惧而分开。他惊讶于她的眉毛。她的颧骨和肩膀太像黛西了。

黛西和乔伊手拉手从剧院里出来。"我们没有地方可去，"黛西说，"我们已经有一个月没单独一室相处了。而大卫不会离开。"他们走着走着，手并没有松开。

"我太对不起大卫了，"她说，"他是这么可爱天真。他是我所认识的最纯洁的人。"

"纯洁的人可不存在。"

"你没有见过大卫。他有如此赤裸裸的目光。你一旦和他接触了，你就会感觉你和他之间没有任何多余的东西。"她说，"你并不是这样。当我触摸你的时候，我什么都感觉不到。"

"没有什么可感受的。"

"别这么损自己了。"她丢开他的手，用戴着手套的手揉了揉他的背，"总之，幸好你不像大卫。正如现在，我还在担心你对我太好呢。"

他用手绕住她的脖子："我不知道是什么让你以为我在企图对你好。"

她转头吻了他。他亲吻她，一把捏住她的头发，将她的脑袋紧紧往回拉。

他们坐在一栋公寓大厦的冰冷石阶上。他们解开外套的纽扣蜷成一团，双手分别置于她曲线柔美的身子两侧。

"你真奇怪，"她说，"和你说话很困难。"

"怎么会？"

"你总是对我大发议论。你从来不听我说的话。"

"因为我的特别所以才显得奇怪。"

"我想是因为你嗑太多药了。"

"你真该试试的。你知道吗，政府会在军人上战场之前分发药丸？它们可以锐化反应、感知和一切。"

"我可不会去打仗。"

上方传来了声响。他们回头，一对面容端庄、衣着讲究的中年夫妇浮现在了台阶的尽头。黛西望着那位身材高大、金发碧眼、身裹晚礼服的女士，乔伊在她的脸上看到了一闪而过的艳羡。这对夫妇开始往下走。黛西和乔伊站起身子挤进一个石头角落，为他们开路。男子的肩膀蹭到了乔伊。男子多此一举地咳了下。

"劳驾，"女士说，"我们才是这里的住客。"

"你们的空间足够了。"黛西尖锐地说道。

"你无权待在这里。"男子说道。这对夫妇皱着眉头站在人行道上，双肩宣告了他的义愤填膺。

"你在担心什么呢？"黛西说，"我们没有挡你们的路。"她的嗓子在剧烈地颤抖。

"嘘，"乔伊说，"让他们自生自灭吧。"

"你太粗鲁了，"女士说道，"要是等我们回来后你们还在，那我们就会去报警的。"她带着丈夫扬长而去。或许他们赶时间吧。

乔伊看着女士的裙子一路飘动。"真见鬼了,"他说,"我先前坐过无数个台阶,从来没发生过这事。"

黛西没有做声。

"我猜想东村就是不一样吧。"

黛西擤了擤湿润的鼻子。

他从口袋里拿出了一包糖豆子。他给黛西几颗,但是她没有接。她的头下垂了,缓缓无声的眼泪一点一滴地落到鼻子上。他抱住她。"嘿,算了吧。"他说。他感觉不到她有任何的回应。她不动,她也不看他。他放了手,困惑地看向了别处。他吃着糖豆子,看着漆黑街道上的灯火之池。

杰西的情人节礼物

● **浪漫周末**

美妙不已

篡改之恋

联系

斯蒂芬妮的尝试

秘书

额外之因

天堂

她就要见到她最近突然爱上的男人了。她正深陷于焦虑的旋涡之中。首先，他是已婚人士，他的妻子是一位韩国女子，他将她描述为阴柔与高雅之化身。不仅如此，还有个巫师告诫过她，她与这个男人的关系会导致她从此情感上的不健全。其次，她饱受着自卑的折磨。也许是她走路时身体前倾得太厉害，也许比起皮包骨的小腿和脚踝，她的夹克衫才让她的躯干显得太粗壮。她感觉自己是一个向着四面八方肢解的物体。基于对此次约会的急切盼望，她整夜都无法安睡，所以她吃了点安非他命，可这药却激增了她的分裂。

　　她抵达转角时，他还没有出现。她站到一幢建筑物前，努力好好整整自己可憎的外表。她穿过马路，站进了另一个角落里。似乎每个过路人都在吃东西。一位精神错乱的大块头商人握了只咬了一半的热狗经过。两名女孩走了过去，她们分享着同一包白色袋装的腰果。食物加深了她对这个世界混乱与丑陋的感知。她敏锐地嗅到街上的垃圾味。风扇起了垃圾，一张糖果包装纸凄凉地挣脱困境，从公用废纸篓里飘出。一切都错了，一切都耸人听闻。她与他的会面应当完美无缺。她无法容忍拍动的垃圾。为什么他不去见她呢？时间一分一分地过去了。她的肩膀拱在了一块儿。

　　她走进一家花店。店堂干净通明，唯独亚麻地板上有一点点污渍。细声交耳的同性恋们站在柜台后头。整齐的茎秆托着可笑的花朵，从庄重的圆花瓶里冒了出来，直挺挺地矗立在走道上。她突然产生一阵幻想。他抱住她，她无助地倒在他的怀里，她心醉神迷。他们躺在了一只蓬松的蓝色软球上。无刺的玫瑰花围绕在他们的头部。他的目光彻底看穿了她，似乎他的手会刺进她的胸部，一根一根地触摸她的肋骨。她觉得这感觉还不坏。"我从未遇见过一个让我有这种感觉的人，"他说，"我爱你。"他让她做了许多她从未尝试过的事情，随后他们外出散步，四处欣赏即将盛开的新鲜郁金香。这一切并不让人感觉愚蠢或者老套，但她知道其实就是这样。她可悲地尝试着想赢得一丝均衡。她出神地望着鲜花。它们苦恼于自己灿烂有序的美。她情不自禁了。她想送他花。她想和他一起待在铺满鲜花的房间里。她设想自己手捧一束无瑕的鲜花站在他眼前，花商却用难看的粉色彩纸将之包扎、订牢。幻象残酷得总让人难堪，还要久久地停留在她的脑海里。

她走出花店。他没有出现。她的焦虑渐渐逼近绝望。他们本可以共度周末的。

他站在街对面一间廉价的比萨小站里，他啃着油腻的薄饼，同时窥视角落里的她。她的焦虑蔓延进了他的视线。仓皇古怪的是他顿时被她感动了。她的外表并不讨人喜欢。他没法道明确切的原因，或许是她裙子的温驯给出了暗示、也或许是她难以察觉的欲望，或者更坏的，是她穿着的草率。

他于上周某次聚会里认识了她。她一下子就让他忆起了久远的旧相识，莎朗，那张苍白柔和的脸可让他伤透了脑筋，他们断断续续地纠缠了两年，之后他才投入他现在妻子的怀里。尽管说他很高兴能摆脱她，可是长期以来他仍旧在眷恋自己对她的伤害，他的潜意识一直在寻找下一个相似宿命的女人，她需要拥有结合了骄傲、软弱和愚蠢的欲望，这也就是类似激情的东西吧。当他遇上贝斯的时候，他惊呆了，她的外表、谈吐以及行为举止都太像他的上一任受害者了。所有她的姿势、敏感度、傲慢以及经不住奉承的弱点，都是如此优美的病态。她辗转于放纵爆发的意见和突然含糊的犹豫之间，似乎她是为了得到他的认可。她因着"智慧"的念头坠入爱河，可她高估了自己的智慧。虽然她对世界的感知呈现出的是某种侵略性，他还是觉得自己能够轻而易举地得到她。她说："我希望你是只野兽。"

那一夜，他和她一起回了家。他们躺在她的下陷式单人床垫上，他歪着脑袋在房里吐烟圈。她的前额顶住他的胸膛。每一个动作都让床褥吱吱乱叫。他向她说了莎朗的故事。"我在大学的时候也有过那样一段关系，"她说，"有人采取了一种我无法控制的方式引诱了我。他伤害了我。他彻底改变了我。我现在都不能正常地做爱了。"

房间的布置让人绝望：明信片，大眼睛的日本卡通人物海报，还有一些显然是她千方百计搜寻来的、让人看了来气的小小的玩具，它们被放置在梳妆台上，紧紧排做一堆。一架脆弱的飞机模型悬挂在灯与梳妆台之间。它的旁边贴了一张粉红色头发的卡通女孩画，她张口哭喊，身后站着一个留塔尖状头发、穿短裤、戴眼镜的小恶棍。他威胁的表情迫使她将短裙提起来，内裤露了出来。到底是什么样的人把这屎一样的东西贴到了她的墙上？

"我怕你。"她细声地嘀咕道。

"为什么？"

"因为我就是怕。"

"别担心。我不会给予你任何你无法承受的痛苦。"

她盘在他身上，像四肢摊开的小猫一样地紧夹大腿。她的短裤又厚又难看，她的脚掌显得大了点。他相当抵触这种细节，不过他却小心翼翼地移向了那双细长、污秽、挤在一块儿的脚丫子。他说："我想要个奴隶。"

她说。"我不明白。再说吧。"

他邀请她三天后陪伴他一同过周末。

就那时来讲，这个主意算是不坏的，但现在他却尝到了交织的内疚和恼人的忧虑。他想起他的妻子，她优雅并然地做着早餐，或是在厕所里小心翼翼地对着大大的眼睛上眼影，用漂亮敏捷的手势轻轻拂去多余的粉质，消瘦的手肘高高抬起，茫然的双眼颇为专注。他想起贝斯，赤身裸体地被绑住，眼睛被蒙上了布，身体呈鹰状地躺开在凌乱的公寓地板上。墙上的卡通人物会在他用鞭子抽她时咯咯地笑。她的胸部、腿部、腹部和手臂都出现了疤痕。她尖叫，她想挣脱，她左右摇摆，她猛拧脖子。她生不如死。他设想过另一个场景，他们面对面坐在餐厅里，她的一只手笔直地竖立在桌子上，脸上紧张又急迫。巨大的眼镜盖住了她的脸，她显得又清醒又精干。在一阵阵缓慢忧伤的呼吸伴随里，她抽着烟。这些画面一个叠住一个，由此形成了一组混乱不清的庞大网格。他是如何将它们分类的？他设法区分开他妻子的画面以及蒙着眼睛的贝斯的真迹，然后将它们撕碎。他幻想自己在她们之间愉快地嬉戏。或许时间久了，他就可以把贝斯带回家，然后殴打妻子。她要洗碗，做晚餐。网格重新闭合，他的胃部一阵翻滚。太过复杂的剧情在暗中消耗着他。他望着角落里的焦虑女孩。她说过她想要被伤害，可他怀疑她并不明白它的所指。

可能他就应该就待在比萨站里观察她直到她离去。他倒要看看她究竟能等上多久，或许这事就很有意思。他对她深表遗憾。他还感觉占了上风的自己似乎在虐待一只昆虫。他得意扬扬地吞噬他的比萨。

她的焦虑达到顶峰时，她透过比萨小站的玻璃墙看见了他。她很快就发现了他的得意扬扬。她从他的注视和等候中识别出了一种冷酷轻蔑的元素，他并不欢迎她。她受伤了，但这感觉只存活了一瞬间，她被爱情冲昏了头。她微笑地穿过马路，这笑容给她带来了一股无知觉的自信。

"我正打算过来，"他说，"我得先吃点东西。我饿坏了。"他将最后一块折起塞进了嘴里。

她留意到他的牙齿间粘上了一点亮橙色的比萨，这就更讨她喜欢了。

他们离开了比萨小站。他大步流星地向前走，沉重的黑色外套在靴子上头轻快优雅地摇摆着。他的身材纤瘦修长，脸庞苍白狭窄，金发在一条眉毛上打了个小卷。硕大的外套将他衬得像是一条正值发育中的秘密武装狗。她觉得他很英俊。

他招呼了一辆出租车，他让司机开去机场。他看向身边的她。"这件事将变成一场灾难，"他说，"我很可能会把你扔在那里，然后再自己回来。"

"我不想这样，"她说，"我没有钱。如果你丢下了我，那么我自己回不来了。"

"这下惨了。因为我可能真会这么做哦。"他观察她的脸静待她的反应。他捕捉到了不安、兴奋以及一些他只能描述为愚蠢的东西，就好像她刚刚在公共场所摔碎了一托盘的玻璃杯。"别担心了，我不会那样做的，"他说，"但若是可以我会很快乐的。"

"我也是。"她陷入了极度的恐慌之中。她真想打开双臂拥抱他。

他想：有点不对劲吧。她的被动正合他的意，正如她默默地、心甘情愿地将自己置放在他的手心里。可他体会到她身上还有一种他无法定义也无法接受的元素。她叠紧的双手真可憎。她有种冷漠、好不顺从的公共姿态。这是一种硬度，就算被砸击，也绝不屈服。他惊慌了，他意识到自己并不确定能摧毁她。他开始感觉不安。或许这个周末会是一场灾难。

　　他们早了一小时到达机场。他们找了家酒吧喝点东西。这是个末端开口的立方体，红色霓虹灯亮起"鸡尾酒"的标志。在这里得不到一点庇护。装潢家具又薄又细，毫无遮蔽之处，没有一扇门可以保护你免受乘客们眩晕丑陋的目光，他们拎着行李，徘徊在机场里。她点了一杯血腥玛丽。

　　"真不敢相信你点了这玩意儿。"他说。

　　"为什么？"

　　"因为我想点血腥贝斯。"他的表情让她联想到了一条神经过敏的狗，那条狗伸出了舌头预备去咬谁。

　　"噢。"她说。

　　他递给她一根烟。

　　"我不抽烟，"她说，"我告诉过你两次了。"

"好吧，你该试试了。"

他们安静地坐着喝了一会儿酒。

"你喜欢注视人们？"她问。

她显然是在努力与他攀谈。他发现她的脸绷得越来越紧。他可以加深她的不安，但此刻他没有这精力。"对，"他说，"我喜欢。"

他们花了点时间去注视周围的人们。可惜他们的素材不够。酒吧里只有几个客人，大多数都是制服男子，他们坐着似乎陷入了习惯的圈套，积蓄着被他们称之为个性的怨恨，无疑他们是将自己当成了上流社会的人，尽管他们很久都没有留心过这点了，他们也完全没有意识到这其中的牵连。随后有一对夫妻拖着行李走过了门口。女人身上艳丽的裙子跟着她的脚步一闪一现。男人走在前头。他走得太快，她都赶不上了。她很着急。她的眼睛又大又黑，还上了一层浓浓的妆，她的下巴上有一粒痣。他踌躇了一下，似乎在考虑是不是要停下来喝一杯。他决定继续大步向前走。她的耳环随着一路轻轻晃动。他们的背后留下了一道黯淡的性与失望的痕迹。

贝斯在观察女人裙下抖动的臀部。"他们发生了矛盾。"她说。

"是的。"

她很兴奋，她找到了交流的要点，"很抱歉，我不善言辞。"

"没关系。"他狭窄的目光再一次凶猛起来，"女人就该沉默。"她突然想到，要是他向前踢一脚，或者咬住她的脸，也都是些再自然不过的事情了。

"我同意，"她尖锐地说道，"并不是所有的男人都配和我说话。"

她倔强的语气让他狼狈不堪。或许，他想，他该猜到的。

可他没猜到。

他们在飞机上又喝了点酒。裹在红纸包装里的葡萄干糕点也送了上来。他并不饿，但这块粗糙的蛋糕却吸引了他，他放进了行李中。

他们从代价与审美的角度针对鞋子展开了简短的讨论。他们讨论智慧与艺术。沉默的间隔越来越大，这让他们两人都很泄气。她开始谈起老人，谈起他们的出色。他设想她穿着黑丝戴着手铐跪在地上。这幅画面愈来愈黯淡，充斥着静电，最后被他们的谈话湮没了。他感受到了一种令人害怕的期待。他重新回忆起那幅画面，但却再也唤不起他的兴致了。他将它叠加在自己上个星期在一个酒吧的画面上，他举着酒杯，与一位想要他电话的相当好胜的女孩聊天。

"以非尘世的眼光来看，有些老人很美，"她继续说道，"不久前我在药房见到了一位已然九十多岁了的老太太。她虚弱得美极了，她就像个小妖精。"

他盯着她说："你准备开始受人嘲笑，还是想成为一个大包袱？"

她并没有马上就回答他。她不明白这话与她针对老太太的评论有什么联系。"我不知道。"

"我想你可没那么性感,"他说,"你与我初次见到时所认为的不一样。"

她被这话重伤了,她无言以对。最终她说:"我性不性感取决于我交往的对象以及所处的环境。这再正常不过了。我可是个理智的人。我想大多数事情我都能理智地去面对。"

"这就是我的意思。"

她被挫折打击得哑口无言。显然在一些基本原则的问题上她太让他失望了,而她却认为这全都归咎于误会。只要她能想出一点准确的辞令,那她肯定是能够为自己澄清的。蓝色软球的幻想以让人厌恶的力量在她面前展开。同样是这个他抱着她、带着露骨的企图凝视她眼睛的画面,像面纱一样笼住了她期待在他们之间会发生的惊颤之事。她心满意足地迷失在这个前景之中。唯一的问题就是,这个画面似乎与现在发生的事情毫无关联。她试图回忆起他们在她的公寓时他对她说过的话:"你很可爱。"从开始到现在,究竟发生了什么让他如此失望的事情?

她还没有察觉到他对她的失望究竟有多深。

他也说不上来自己是不是真对她失望了。她完全让他不解,尤其是她那段所谓大脑机能论的唐突演说。他现在甚至都不可能搞清楚自

43

己该如何对待这个乏味者，这个似乎会在夜里边咬指甲边阅读的人。他的妻子、莎朗、贝斯以及他在一个月前见过的十六岁中国妓女，这些人昏暗的半成像漫无目的地在彼此之间匍匐。他坐在那里，陷入罪恶与半醉的沉思。

她坐在他的身边，她越来越弱势，越来越烦躁，脑子里还响起白痴电台里常播的性爱歌曲。

他们住在他祖母位于华盛顿的空房子里。这栋复合结构的屋子由一组积木搭成，看似随意地组合固定在了一块儿，用能找到的最丑陋的颜色做粉刷。房子的周围是绿油油的草地和圆形车道，它就处在一条通往城里的安静公路上。旁边有一家免下车银行和一家保险事务所。车辆以几乎一致的速度开过此地，稳定持续的噪声笼罩着这里。

"多可怕的建筑物。"她进了电梯后说道。

门悄悄地滑开了，他们踏上铺有深棕色尼龙地毯的大厅。祖母的寓所出现在他们眼前。贝斯找到冰箱然后打开。里面有一袋皱巴巴的法式面包、一罐辣椒油、几小块铝箔装方糖、两瓶酒和一个六件装厚纸板箱。"你的祖母是酒鬼吗？"她问道。

"我不知道。"他顺便脱下外套塞进包里，将重重的皮包和她的白色帆布包扔进了卧室。她看他站在那里，黑色皮衣和腰部的皮带让他显得惨白憔悴。这个画面会在她的脑海里驻守很多年，没有充分的理由，没有情感的意义。他倒入了一把椅子里，两条瘦弱的手臂轻轻垂到扶手上。他示意了一下面前那张咖啡桌上的威士忌、苏格兰酒和甜露酒。"为什么不来点喝的？"

她跪在了桌边，紧张地摆弄起酒瓶。他一声不吭地观察她，他的脸上毫无表情。她从瓶堆里挑选了巧克力甜露酒，给自己倒了一杯，然后坐到他对面的椅子里，双手握着酒杯。她不能再无视这座公寓的特征了。它有一种兽性的荒谬，这种荒诞性让它近乎嗜虐。沙发和椅子上满是印花。一条玉米色的薄地毯迅速地横穿地板。几块小盖毯。人造花。空间足够的桌子和架子上安放了大批雕塑：露底的玻璃处女们穿着华丽的睡袍拎着一篮子的玻璃玫瑰，陶瓷鸟站在陶瓷树干上鸣叫，玻璃马飞驰在柚木牧场上。一只褪色的陶瓷狮子狗与它的伙伴，一只钻石眼小猫，沉默地注视屋里沉默的场景。

"你还好吗？"他问。

"我讨厌这公寓。这里真的太阴森了。"

"你还能指望什么？上帝。这儿不像你家，你明白的。"

"对。是这样的，我得承认。"她喝了口甜露酒。

"你觉得你能改善一下对这整件事的态度吗？可能你也正想努力变得更积极一些。"

这问题从他嘴里出来显得尤其好笑。他必然是不安成癖了，以至于自身的洞察力彻底失真。他一定是处处遭拒，她是这么断言的，她必须要鼓舞他的信心。"但当我到了这里以后真的感觉积极多了，"她说。她踌躇了一下，想搜索一个最佳的方式去表达她极度积极的感受。她暗暗地乞求他能看见蓝色的软球然后爬上去，"你永远不可能让我失望。你的所有想法都让我激动。你做的一切都很完美。"

她的宽宏大量把他吓坏了。他纳闷她是否意识到自己在说些什么。"有人知道你来这儿吗？"他问，"你告诉过别人你去哪儿了吗？"

"没有。"事实上她告诉了很多人。

"这样并不明智。"

"为什么？"

"你根本不了解我。什么事情都有可能发生。"

她把杯子放到咖啡桌上，走近，跪在了他的双腿之间。她用鼻子紧挨着他的腹股沟。他绷紧了。她拉下他裤子的拉链。"住手，"他说，"等等。"她——她的握力竟然这么强大——她把他推倒在了地毯上。他的幻想和计划突然被颠倒，好像他原本是坐在桌上，却被一个狂躁的疯子翻转了过来。他感觉自己受到了入侵和攻击。这不是他脑中所勾画的，但他却要拒绝这种让他显得不如她阳刚的东西。更让人作呕的是，他剥去了她的衣服后便让两具身子处在了灵活的体位。他的牙齿对上她的乳房咬了一口。她吓得大叫起来，身体僵住了。他更狠地咬了一下。她尖叫。他想咬出血来。她的叫喊短促而压抑。她本想说他，但是她没有。他咬着她的乳房不放。她歇斯底里地吼叫。他们厮扭在一起。他们猛地分开，谨慎地对待对方。她试探性地将手摆在他的手上。他总算明白自己为什么被她困扰了。在相似的情况下，当他与别的女人在一起时，他能体验到她们身体里的一种惬意的虚无感，他可以轻轻松松地进入，一旦进去以后，他便让自己去涂抹最深处的领土，直到那里完全属于了他而不再是她们的。他的妻子缺失这种虚无的特性，然而她为了他而投降，以致失去自我的高尚行为，如今看来越发伤感。从另一方面来讲，这个棘手的女孩有某种切实的特质，她非但拒绝消除这种特质，反而像是有意要展示出来一样，因此他才会用尽一切方法来撞击她、入侵她。他并不反感这种特质；实际上他着迷得很，并且期盼它能成为泡影。但是她不愿让他得逞。为什么她要告诉他她是受虐狂呢？他注视她的身体。她的四肢强健灵敏。他思索着去勒住她的脖子，将她的脑袋重重地砸上地板。

他出其不意地站了起来。"我去找点吃的。我饿坏了。"

她的手抓住他的脚踝。她卑躬屈膝的欲望彻底失败。她已经把他推在了地毯上，她敢肯定要是他们可以做爱，他会以排山倒海之势进入她的身体，完完全全地控制住她。然而她现在只能依靠感觉来体会他，可她所感受到的东西又太遥远太残酷。对她而言，他在她外部身体上的啃咬并不意味着什么，只是很不愉快。她绝望地抱紧他的脚踝，头埋进了地毯里。至少她还可以拜倒在他的脚下。他挣脱了她，走开了。"别闹了。"他说。

车停在了停车场里。正因为这辆车才间接造成了这个周末的事件。这辆车是他妻子的前夫留给她的，非常昂贵。它在华盛顿待了一年多了，现在车到了他的手里，他把它开回了纽约。

贝斯被这车吓掉了胆。这头吵闹的黄色怪兽有狭窄凶险的轮廓，可笑的是，得从车顶才能把车门关上，从外面看就像是翅膀。可能换个环境就能凸显出它的魅力，但在这儿，在这同等畸形的建筑物背后、她不合时宜的穿着、她与他坐在车里，这一切就好比让她按上一个小丑的鼻子去赴宴。

他们驶在郊区的公路上，沿路排列着小公司、商店、饭馆。此刻已是黄昏时分；几块霓虹灯招牌慰藉似的泛起了点点微光。

"你认为你能做点努力去端正自己的心态吗？"他说。

"我的心情并不差，"她疲倦地说，"我就是感觉空虚。"

够不上空虚吧，他想。

他把车停在一家"罗伊·罗杰斯"快餐店门口。她想：他甚至都不愿带我去个好点的地方。这于她是种侮辱。看起来他是有意为之的。这一点的确叫她难以置信。

她一路都跟随他，但是她没有从灯光通明的铝架上取过任何一盘发光的食物。他开始一阵阵地烦扰。他没有再发火，她苍白委靡的面容弄得他心神不宁。

"为什么不吃点东西？"

"我不饿。"

他们坐了下来。他夹起食物注视着她，他的目光里藏了一丝担心。他就在她的面前吃东西，而她什么都不吃，她突然在想他会不会尴尬。她问他能不能尝尝他的沙拉。他热情地将一大碗撒着橙花的白叶递给了她。"全吃了吧。"

他吃饭的时候肩膀如孤儿一般蜷缩成一团，金发仿佛沉思的杂草一样杂乱地竖起。"我不知道为什么你不吃饭，"他急躁地说，"你很快就会饿的。"

她对他的爱慕之情重新被唤起。她笑了。

"你为什么这样看着我？"他问。

"我不过是在欣赏你的模样。你很缥缈。"

他又一次表现出了惊慌。

"有时候我看着你，我就感觉我在看一缸速度飞快的小鱼，这种冲锋一样的聪明小鱼会到处游窜。"

他停了下来，目瞪口呆，叉子颤巍巍地插在缩水卷曲了的牛排上。"我要开始怀疑你他妈是不是疯了。"

她满脸的幸福瞬间崩塌。

"你怎么就不能用正常的方式跟我说话？"他继续道，"就像我们在飞机上的时候。我喜欢那样。那才是交流。"其实他并不喜欢飞机上的交谈，但是和现在的相比，那时太正常了。

回到公寓后，他们直接坐在地板上喝酒。"我希望你多喝点，"他说，"我希望你能做点你并不愿意做的事。"

"但我是不会去做任何一件我不情愿做的事。你得让我愿意。"

他在无声的挫败里躺了下去。

"你的父母是什么样儿的？"她问。

"什么？"

"你的父母。他们什么样儿？"

"我不知道。我并没有太多地留意到这点。我母亲很美。我的父亲是个卑鄙小人。就是这样。"他的一只手盖住了脸，他全家的方形相册浮现在眼前。他们坐在早餐桌上，谈天，取食物。她的母亲在背景中来来回回，粉色长袍下的她犹如苗条却忧心忡忡的影子。她的姐姐就坐在他身边，高个、金发、傲慢，她说话的时候嘴角还会轻轻地弹出一些面包屑。他的父亲坐在桌头，长长的手臂够得着一切食物，他像保护食物一样俯在餐盘上吃着早餐。他心情不好，接着他发怒了。他想起不久前在酒吧里认识的意大利女孩，他用那些与她有关的回忆来抚慰自己，她蹲在他的上面，纤细的腰，两条穿着高跟鞋的美腿夹住他的脑袋。

"乍看之下，我的父母就是那样。但其实我的母亲很要强，我想说的是，她比我的父亲残忍，尽管表面上来看她很被动软弱。"

她开始讲述她冗长的家庭史，其中还包括她对兄弟姐妹的描述，在他看来这既惊人又无用。她的全家就像各种失常人格的集合，久久不散的苦思沉默，恶心的强迫性凌乱症（不冲洗的厕所，用过的卫生纸到处乱丢，扔在地上的脏内衣），还有激烈无理的愤怒之火。太可怕了。他想回家了。

他戳戳自己的手肘。"你是个骗子吗？"他问道，"你常常说谎？"

她才说了半句就停了下来，她看向了他。似乎她真是在认真地考虑这个问题。"不，"她说，"不见得。我的意思是我会撒谎，但只限于无关紧要的事情。你怎么这么问？"

"你为什么要告诉我你是受虐狂？"

"什么使得你认为我不是受虐狂呢？"

"你的所作所为根本不像。"

"喔，我不清楚你为什么这样说。你完全不了解我。我们什么事情都还没有做过。"

"你想做什么？"

"我就是不能开口告诉你。它会毁掉的。"

他拿起打火机，点火，然后抓起她的衣裳，把打火机放在下面。她没能及时躲开。她尖叫，双脚跳了起来。

"别那样！太可怕了！"

他的胃开始翻滚："看啊。我告诉过你的。你不是个受虐狂。"

"闭嘴！这跟情欲毫无关系。我也不会因为脚趾被砍了而高潮。"

随之而来的沉寂里，她知道自己是怒了，并且怒了很久。

"我累了，"她说，"我要睡觉了。"她走出了房间。

他站了起来，"好吧，我们来做个决定，好吗？"

她重新回到房间："对了，我们睡哪儿？"

他指了指客房，还有折叠式沙发。她立刻就去铺开沙发，手脚僵硬而凶猛。她的身体里似乎灌满了反常的能量和意图。他能断定她毁了他的周末，也毁了她的。她的固执、阳刚和愚蠢早已隔断他们之间共同的愉悦和满意。唯一残存的行动便是敌对。他拉开祖母的写字台，拿出一张纸和一支记号笔。他用粗黑的字体写下了"愚蠢"。他先拿着纸在她的胸前比划，就像给她贴了一张标语牌，然后又放到了她的胯上。她不予理睬。

"床单在哪儿？"她问。

"你怎么突然之间变得如此无情了？"他把纸扔在了桌上，从梳妆台的抽屉里取出一张床单。

"如果开着窗的话，我们就需要一条毯子。我想打开窗户。"

他挖苦地对待她："你不过就是想通过这样的表演来掩盖你的本身。"

"你显然不懂我要的是什么。"

他们脱了衣服。他轻蔑地审视她肌肉发达充满活力的躯体。尽管她的臀部凸起、乳房圆润，但她更像个男孩而不是女孩。她的红色刺猬头大大粉饰了她的男子汉气概。甚至他在她乳房上咬出的黑色淤青或是打火机造成的轻微灼伤都没能给她增添一丝一毫的女性阴柔。

她打开了窗子。他们钻进沙发上的毯子，他们躺下，没有触摸，好像他们真的准备睡觉了。当然了，没有一个人可以做到。

"为什么会这样？"她问。

"你给我说说。"

"我不知道。我真的不知道。"她的声音很小、很凄惨。

"其中一个原因就是，你在应当说话的时候不开口，然后在你什么都不该说的时候却叽里呱啦。"

她不知所措了，她回顾了他们在一起的各个瞬间，她试着去区分哪些话才算是恰当的，然后相应地去评价自己的表现。她的迷惑更深了。泪光浮现在了眼里。她背对他蜷起了身体。

"你在伤害我，"她说，"但是我想你不是故意的。"

他被感动了一下。"意外的痛楚。"他若有所思地说道。他双手捧起她的脸，将她拉到他的双腿间。她顺从地张开了嘴。终究是他伤害了她，他反省着。她困惑、她疲惫，反正在这一刹那，她做着他想要她做的事情。不过，这还不够。他松开了手，她爬上他的身体躺了下来，头枕在他的肩膀。她梦游一般地说道："我要和你做任何事。"

"你不会的。你会憎恶的。"

"憎恶什么？"

"即使我告诉你了，你也还是会憎恶。"

她从他的身上滚了下来。"可能什么都没有。"

"你被人撒过尿吗？"

在察觉到了她的紧张后，他幸灾乐祸。

"没有。"

"嗯，那就是我想对你做的事情。"

"在你祖母的地毯上？"

"我希望你能喝下去。要是滴到了地毯上，你得给我弄干净。"

"噢。"

"我知道你震惊了。"

"我没有。我只是从未想过会这样。"

"那又怎么样呢？对我没有任何好处。"

实际上，她是震惊了。她受到了耻辱，偏离了她原先的计划。伴随着一阵松弛的嘶嘶声，她那诱人的软球幻想泄了气，留下两个醉酒、坏脾气、无能、恶臭的人在残骸里一瞥一眼，心神不宁。她凝望着丑陋的玫瑰花，花的顶部畏缩在了静止的枯萎中，慢慢地她看到了自己的愚笨。她疯了。

"你喜欢别人在你身上撒尿吗？"她问。

"对。上个月我在比利的露点酒吧里遇到了一个很棒的女孩。只要二十元，她就在我的脸上撒了尿。"

他的喉咙很尖，是一种非常愚蠢的咄咄逼人，好像马路上有个古怪的孩子向你走来，提出要满足你的身体需求。她痛苦地想，她怎能把这个邪恶的浑蛋错当成了黑暗里的沉默英雄，会把她当小虫子一样抱起来，接着谈论人生和艺术？

"我还有许多想做的事情，"他的语气彰显出的是畸形的自以为是，"但是我想你是无法接招了。"

"这不是能否接招的问题。"她冷嘲热讽地说道，"迄今为止，你说过的一切都老套得让人难以置信。你所有的表演都不配称做是有吸引力。"
她就像拘谨、早熟的孩子，正向她的老师抱怨有人在她背上放了个虫子。

他感觉自己就是个白痴。他怎么就被这个尖声的大额头神经病给
缠上了，她刺探他，然后挑剔他所有的言辞？他向往的是一位弱势的
小贱人，有一张艳丽的大嘴巴和一套黑色的塑料内衣。他带这姑娘来
这儿的时候他的脑子里在想什么？她严肃绝望的脸，她惊惶，她泪流
满面。当他如老鹰展翅一般夹住了她，她摆出了荒谬可笑的牺牲与放
纵之态。白皙的肌肤轻而易举地被刻下了烙印。恐惧的双眼。一种暴
露的人格会从她的身体里被揪出来，然后遥不可及……噢，他只能看
见残存的片段；他的空想在笨拙地前行，慢慢地失去了掌控。他盯着她
可憎的自若和紧实的小身体。他冷酷地推开了她。"噢，我愿意和你做
任何事，"他模仿着她的口气，"你才不会。"

她紧紧蜷缩的身体滚向自己的一边。他感觉到了她的哆嗦。她抽
吸着鼻子。

"别说我伤了你的心。"

她不停地哭。

"对我来说一点儿都不麻烦，"他说，"老实话，我相当享受。"

哆嗦止住了。她又吸了下鼻子，转过身，困惑地望向了他。她眨
眨眼。他突然感觉累了。我真不该这么做的，他想。她的确是一个好

人。有那么一刻，他突然产生了一种拥抱她的冲动。同时还有一股更强烈的想揍她的冲动。他环顾四周，发现角落里有一根轻盈的木杖，这是他祖母出于某种原因留下的。他指向了那里。

"把那个木杖给我拿来。我想用它打你。"

"我不要。"

"去拿。我要加倍地羞辱你。"

她摇摇头，惊恐的眼睛瞪得更大了。她把毯子举到了下巴处。

"来吧，"他诱哄她，"让我打你。等我打完了，我会更友好的。"

"我可不认为你会变得友好，友好得如此刻你为了取悦我而说的这样。"

"好吧。我自己去拿。"他拿起木杖，又从她手里夺走了毯子。

她坐在那里，双腿以下跪的姿势弯曲。"不要，"她说，"我怕。"

"你就该害怕，"他说，"我要折磨你。"他挥舞木杖，似乎真的只要两三下就会爆裂。他们在原地僵持，互相凝视。

她垂下了双眼。她沉思的时候注视着扯裂的毯子。"你真的让我失望了，"她说，"整件事情就是彻头彻尾地在浪费时间。"

他坐在床边，木杖搁在膝盖上。"你完全不在意我的感受。"

"我想我要睡到隔壁去。"

他们分开睡并不会比一起睡来得踏实多少。她蜷着身体躺在沙发上，仔细地考虑自己人生中的恶性到底是什么。他裹着一块毛毯，他就好比一个脱臼的躁狂症者在黑暗中眨巴起眼睛，这一出性经历的讽刺剧，就在动荡的混战里，跌跌撞撞地潜进了他的记忆。

第二天早上，他们一致同意立即动身返回曼哈顿。顾不上彼此间病态的心情了，他们再一次私通，很大程度上是因为，只有如此他们才能轻易地无视对方。

他们迅速且安静地收拾好了行李。

"这段回程的路将会很漫长，"他说，"别尝试让我感觉自己是个蠢货，好吗？"

"我才不关心你的感受。"

他想过在某个地方停下把她赶下车，不过好在他并没有无视社会法则到如此极端的地步。另外，他依稀有一些抱歉，他弄哭了她，当他因此而勉强地去观察她时，他认为自己没有必要再去恶化形势了。最理想的就是她能带着她那只土气的帆布包消失。可回到现实中，她就坐在他的身边，自从曼哈顿的角落相逢之后，她比自己表现出的更加坚定，更加具有存在感。她似乎对于六小时的行程早已有了充分的静坐准备。他打开了电台。

"你介意把声音调轻点儿吗？"

"如你所愿。"

她转了转眼珠。

他采取了一个常常在争吵后用于安抚妻子的策略，不过现在他没有抱太大的期望。他会提出一件事让她去选择。"你想吃点东西吗？"他问，"你肯定饿了。"

她是饿了。他们在街上花费了将近一小时去寻找合她胃口的餐厅。最终她选择了一家很小但很干净、供应鸡蛋吐司的餐厅。当早餐端到他们的面前时，她的幽默感明显得到了改善。"我喜欢吃蛋，"她说，"很令人舒服。"

他终于开始不再纯粹出于好奇心地与她交谈了。他们聊音乐、聊大学、聊共同认识的朋友和少年时期的吸毒经历。她说起自己吃迷幻药的时候，常常是完全地丧失了身份感，连镜子中的自己都认不出了。这个可悲的声明火速地唤回了她的魅力。她注意到他眼中闪过一霎暧昧的微光。

"你真该让我揍你，"他说，"我还没伤害够你。"

"那不是关键。时机不对。什么意义都没有。"

"对我是有意义的。"他顿了顿，"但你很可能会糟蹋了它。你立刻就会大呼小叫让我住手。"

邻桌的建筑工人不解地盯着他们。她冲他们愉快地笑了笑，目光重新回到他的身上："你不懂。"

两人之间的闲散让他松了口气，离开餐厅的时候他的手环住了她的身子。她踮起脚尖吻上了他的脖子。

"我们对彼此都有所误会，"她说，"我们的不相容并非是谁的错。"

"好吧，我们很快就能到曼哈顿了，一切都要结束了。你不必再见到我了。"他希望她能有所异议，但她没有。

他们继续在车里谈论时间的本质，他们的父母和种族主义的不公。

她疲惫得已经没有力气将自己从沉闷的对话里拔出了，但是他的嗓音、他身体的姿态和他突如其来的接受让她欣喜若狂。时间呈现出颗粒状的梦幻面貌，让不可能的对话和姿势真实起来，时间犹如太空舱，让它的住户得以在墙上快乐地漫步。这辆罕见的小车成了热情哼唱的椰子，就像她孩提时代拥有过的一座袖珍屋，为给定的角色配备了各种零星杂物。她感觉自己就像是一个小姑娘，脑海里涌出的每一个念头都是毫无联系的新发现，因而需要认真地阐述才不会变成畸形。她想把所有的念头排列在他的眼前，正如她曾经依照色彩序列向她的父亲展示她的蜡笔画。接着他会轻轻地变换一个姿势或者是一个手势，突然就能显示他的无助和脆弱，她便会渴望去保护他宠爱他，就像住在填满棉花的火柴盒里的一只小宠物。她把头搁在他的肩膀上，深情地屈起膝盖，让尖细的靴子踩在刹车或油门上。这和她最初的幻想一样美好，甚至可能更胜一筹。

"现在我还可以再虐待虐待你吗？"他温柔地问道，"在车里？"

"你想怎么做？"

"塞住你的嘴？就这样，我只是想塞住你的嘴。"

"但是我想和你说话。"

他叹息："你并不是真的受虐狂，你知道的。"

她耸耸肩膀："或许不是吧。但一直以来我似乎是。"

"也许你有过幻想，可我觉得你并不具备真正奴性心理的概念。你太过自我，无法成为别人身上的一部分。"

"我不知道，我从来没有机会去尝试。我从来没遇上一个让我甘愿如此的人。"

"如果你是奴隶，你不会作决意的。"

"对，我不是奴隶。之于我，这更像是爱。"她这才意识到自己将声音修饰得太高太软，失去了本色，这样一来她的嗓子听起来像极了卡通片里的美少女，"这好比爱的最高形式。"

他认为这样确实非常可爱。无疑有些令人作呕，不过这就是电台情歌风格的女性。

"看起来你对爱不感兴趣。这并不像你。"

"不对。完全不对。再回到刚才，为什么你会认为我粗鲁？说心里话，我怕我会爱上你，我需要和你在一起和你做爱……永远。"此刻他正在自娱自乐。他开始把她视为一座秘密花园，他可以偷偷地溜进去，坐上好几日，扯下鲜花的脑袋。

一方面，她欣喜若狂。另一方面，当他步入她用纸板制成的动植物场景里，她在不透明的门背后仔细地观察他。他能在这片土地上扮演一个角色吗？她想象他们面对面坐在一间日式餐厅里聊天。他聚精会神地看着她……

他看到了她的公寓然后又看到了他自己的。他看见他们保持着最佳的距离，用分割清晰的界限阻挡住对方。她的公寓里布满这样的场景，鲜花华美地打着圈圈状向着他盘旋而去，接着突然冻结凝固。她蒙住眼睛在地板上匍匐前进。她被赤裸裸地捆在一间 S&M 酒吧里。出租车里，她坐在他的旁边，她的裙子被拉起，他的手指伸进了她的阴道。

……再接着他们会回到她的公寓。他会打她，让她口交。

之后，他会回到家中的妻子身边，她会为他准备晚餐。这就是一切。平衡得堪称完美，单单是冥想就能让他幸福。

翌日，他会给她送花。

他的一只手松开方向盘，轻轻地拍拍她的脑袋。她疯狂地咬上他的衬衫。

他想：事情会称心如意的。

黛西的情人节礼物

浪漫周末

● **美妙不已**

篡改之恋

联系

斯蒂芬妮的尝试

秘书

额外之囚

天堂

"先生，怎么称呼您？"说话的是一位雀斑女郎，裹着绿色的弹力裤，火红的头发藏进了优雅的粉色围巾里。"弗雷德？"她尽可能保持自然地使原本粗糙的声音听起来犹如温暖的蛋黄酱一般柔软湿润，"我想您可以来见见我的朋友们，弗雷德。"有四个女孩正盯着他看。其中两位微笑着正襟危坐，手指紧夹着钱袋，双腿在膝盖处并拢。还有一位漂亮的黑发姑娘，长着高凸的颧骨和丰满的嘴唇，她慵懒地靠在橙色的变形椅上，长腿狂野地蔓延到了地板上，丝质的紧身裙半掩，因此你几乎能看见她双腿间的一切。她望着他，完全不掩饰自己的厌恶之情。

"坐直了，茉莉，"弹力裤女郎的厉声刺破了她原本的笑容。她用满布斑点的手指向了最后一位女孩，只见那女孩一条腿盘于体下，眼睛则注视着窗外，"这位是丽莎特。"女孩穿了一条红黑格子短裙、一双白色短袜和黑色的舞鞋。满头卷曲的棕色短发。当她的脸朝向他时，她流露出的是温和友善与平静，她能以这番表情注视任何的人或事。

眼前陌生的一切让他高兴得都陶醉了：造作的文雅嗓音，无能为力的轻蔑，待选中的未知女孩百无聊赖地坐在脚踝上，望向窗外。

"您愿意与哪位女士交流交流吗？"

"我想见见丽莎特。"

那个女孩起身走向他，就像他是名牙医；还好她至少面带微笑。

房间刷成了浅浅的绿色。空气里充斥着汗水与空气清新剂的味道。屋里有一张带塑料柜的床桌，安置着一卷湿纸巾、一台收音机、一个烟灰缸、一盒面巾纸和一瓶黏糊糊的油。床上覆着一层高档床单，绘有米黄色、棕色、褐色的狮子，它们或者快乐懒散地站在树干上，或者与对方搏斗。屋里还有一把铝制椅。镜框里镶了一张艺术展的海报。鱼缸里有一条荧光橙的鱼。他赤裸裸地躺在床上，他在等她。他打开收音机。碰巧调到了最糟的迪斯科电台之一。"我主修爱情，"一位女人唱着，"我要让你有全新的感受。我主修爱情——让我满足你吧。"

他边听边笑。音乐让他仿佛看到舞池里盘旋回转的灯光。他从未踏上过舞池，而那些整夜跳舞喝酒、甩动着头发、让汗水浸湿了内衣的女孩，他也只是在牛仔裤的广告上才见过。他期待丽莎特可以如他所想象的一般，紧握笨拙的双手，一头小卷毛靠在他的肩上。她会在这样的地方穿着白色短袜和舞鞋跳舞？

她夹着一张白色床单进来了。她快速走过地板，尖细的高跟鞋啪嗒啪嗒作响。她关掉了收音机。此刻的沉默迷惑得就像屋子里突然亮起的荧光灯。"我讨厌那狗屎，"她说，"希望您别介意。我得把床单铺好。"她啪地一下，床单打开飘落到他的脑袋上。他艰难地从下面爬了出来，脚踏上地板时还不小心撞到了垃圾桶。

"这里。"他说。他抓起床单的一个角，笨手笨脚地将它摊在了床上。

"不，可以了，这样很好。"她坐在床上看他，笑脸突然变得沉重。她的眼睛又圆又黑。黑色的妆容晕染了，似乎是手指在脸上点画着造成的。他坐在她身边，手放到她的大腿上。她没有理睬。他觉得自己好像是在公车上骚扰女孩。他搭在她腿上的手心直冒汗，他把手移开了。哪儿不对劲呢？为什么她不像她们通常做的那样把裙子撩开？

"您常常来这样的地方？"她问。

"不常。一个月一次吧。我结婚了，不方便出来。"

她的脸上有些忧虑。她紧张地迅速一把拾起他的手。"通常，现在该做什么呢？"她问。

"你这话什么意思？"

"我想说我是新来的。您不过是我的第二位客人，我不知道我该做什么。好吧，我基本是知道的，可那些具体琐碎的小事呢，比如什么时候该脱裙子。"

一道白痴般的笑容爬上他的脸。她的第二位客人。"可你以前也做过。"

"您是说做这个？不，我没有。"

他就看着她，贪婪地笑了。

"那么您是做什么工作的？"她问。

"我是一名律师，"他说，"公司法领域的。"他撒了个谎。这个谎言让他感觉自己脱离了束缚，他未婚，他还年轻。

"您多大了？"

"你觉得我多大呢？"

她笑了，黑色眼影就像小蛇一样爬到了眼角："五十？"

"你说对了。"他五十九了，"你呢？"

"二十二。"

她从外表来看差不多就是这个岁数，但有种强烈的感觉在告诉他她也在撒谎。

"您为什么来这种地方？"她横卧在了床上，头被双手支撑着，两腿平静地合拢，"您和妻子相处得不好吗？"

他靠上了床头板，光裸的大腿张开："噢，我爱我的妻子。我们的婚姻很成功。我们有性生活，非常完美的性生活。但那并不是我想要的一切。她是愿意去体验一些的，但其实没有多大的兴趣。当你发现你的搭档并非是一位平等的参与者，那么你就会产生一种被愚弄了的想法。另外，这儿算是我的冒险吧。美妙的事。"

"这很美妙？"

"有你便会美好。"

"你怎么知道？"

"这问题真奇怪。"

她爬到床的另一头躺到了他的身上，把头搁在了他的肩上。她轻轻抚摸他的胸毛，"这并不奇怪。"

"嗯，这下我全明白了。"

他们接吻了。她的吻显得粗暴而倔强。

她褪去格子裙，一个接着一个熟练地解开了纽扣。她的身体美极了：白皙、弯曲、丰满。她的高跟鞋脱下后他便发觉她的腿有点短，膝盖有点厚，不过他依然喜爱。她叠好裙子放在铝制椅子上，转身，仰起了下巴望着他，似乎她是一匹小马，马上就要跑走了。她为自己的身体感到骄傲。

她的骄傲在这个烂屋子里显得楚楚可怜。他从中体察到高人一等的脆弱。他迸出了笑容，张开双臂。她用出乎意料的猛烈拥抱迎接他，仿佛一只猛扑上前渴望攫取的顽皮动物。

"天哪，你真健康。"

她咯咯地笑了，伸手捏了他一下，"您想怎么样呢？"

"跟着感觉走。别紧张。我们会很棒的。"

她触摸的方式变得不确定起来。她一边抚摸一边跟他讲着话，自然率真的言辞好比香气扑鼻的花朵，与她那羞涩的忧郁形成了对比。他摸上了她的臀部，他想他可以从她敏感的身体表面体会到她的内心生活。

"这感觉就像是在度蜜月，"后来他这么告诉她，"就和我原先预想的一样。"

"噢，并不像。"她的脸出现在镜子里，她正在抹口红，"别傻了。"

"你结婚了吗？"

"没有。"

"那么你是不知道何为蜜月的。"然而她没有说错。这根本就和蜜月扯不上边。

她送他到门口，他当着其他女孩的面亲吻了她。弹力裤女郎笑了。"晚安，弗雷德。"她说。

他的车驶上了通往韦斯切斯特的公路，他摁了下按钮摇下车窗，他开得飞快。到家后，他穿过了整个底楼，打开所有的灯。他的妻子确实不在家，他也确实不喜欢一个人待在昏暗的房里。冰箱很干净，里面整齐地塞满了妻子为他准备的食物。他换上了睡衣和拖鞋，给自己做了个冷肉加蛋黄酱的三明治。他站在厨房的餐桌边，三明治就放在绘有一只微笑猫脸的纸盘上。他想着丽莎特像摆放好的水果一样躺在床上，她的肩膀紧裹着她的脸，他看着她在浴室里用廉价的粉色丝瓜藤洗澡。她圆圆的脸上既有好奇也写着清醒。她很聪明，他想。你可以从她的眼神里看出。他为什么不告诉她自己是名兽医呢？之前他可是从来没有欺骗过一位妓女。他给自己调了一杯凤椰朗姆酒，往里面加了大量的碎冰，插上了根吸管——他妻子在搅拌机旁放了一纸杯的红白吸管——他上了床。

第二天晚上，他再次开车去曼哈顿见她。

"甜心，很高兴今天见到你。"她说着抱了条床单噼啪噼啪进了房间。

"真的？为什么？"他站起来，好让她铺床。

"噢，这个夜晚恶心极了。我可没法忍受与另一个傻瓜相处。"

"我敢说你是遇上了一些不良分子。"

"你说对了。"

"但愿没什么使用暴力的人。"

"没有，就是些傻子而已。"床单在跟着她的手浮起又落下，接着她干脆用床单绕住了他的身体。

后来，他们纠缠着躺在一起，用耳朵聆听鱼缸里传来汩汩声响。"看看那些可怜的哑巴游来游去，"她说，"它们不明白任何一出在这儿上演过的污秽剧。"

"你说那些来这儿的家伙算什么呢？你说他们……就是有点愚蠢。"

他把"愚蠢"两字念得很响。

"我并不是真的想骂他们蠢。其中很多都是商人。他们必然是有一定的生意头脑。面对女人的时候，他们就显得非常笨拙了，面对性的时候也同样如此。"她晃晃他，示意他的背朝下，她爬上他的身体，手指放在他肩上，脸正对他，"他们真的以为他们能用一百五十美元买下你。因为他们给了你钱，所以你得让他们在肉体上得到快感。我是说他们会付钱叫你做这些事情。但是他们不可能用一百五十美元就买到一个人的。"她从他的身上滚了下来跌在床上。"弱智。他们对于什么是完美的性爱毫无概念，所以他们不会明白你根本就买不起。"她转过头，面朝他，"我希望我没有太失礼。我并不是在说您。"

他用一只手肘撑起身子，这样他就能好好注视她了。"不。不，我觉得很有意思。我很高兴你能告诉我这些。"她凸起的小腹就像一块小面包。他轻轻拍打了几下。

她搔搔她的小腹："为什么您这么快就又来了？"

"你不记得昨晚了吗？我发现我们，嗯，我们的性爱很激情。不是因为我付了钱，就是事实罢了。"他停下，等待她有所反应。她凝视着他的眼神扑闪扑闪地。"另外一点就是，我喜欢你。我觉得我们之间似乎有了点什么。我想若是我再年轻一些。我们在另一个环境中邂逅，说不定我们能建立所谓的恋爱关系。"

她笑了，看向了高档的床单上那群打盹的快乐狮子。他把手放在她的手上："我来这儿的第一个夜晚，你有一种难以言说的羞涩。你站了出来，你承认了，你问了些问题。你信任我。今晚你发疯了，你连一个虚假的微笑都没有。你发泄了情绪，告诉我你的感受。你并没有将我当做顾客。很好。几乎没有人会像你这么做了。有时候甚至我的妻子对我也不诚实。"

她的注意力从微笑的狮子群里移开："您不该来妓女这儿寻求诚实。"

"你不是妓女。别这么说自己。"

"那么您觉得我是什么？"

"你不过碰巧就是个漂亮性感的小女孩，嗯——"

"我为了钱出卖肉体。"

"噢，好吧。"他神经似的捆了捆她的大腿，"你说得对。你是一位妓女。"这话真够骇人的。"但你依然很美丽。"他紧抓着她牢牢地抱入怀中。

"您不了解我。"

"你很美。"他重重地压住她，似乎想把她的骨头碾碎。她用自己的骨盆贴住他，甩了甩手臂，伸出一条腿圈住了他，然后用力挤压他。她的眼睛半合半张，嘴巴咧开笑了。他更加用力了。她把手肘塞到他身体的两侧，他发出了一声温顺的"唷"。

他喘着粗气放下了手："天哪，你真强壮。这么娇小的一个人竟然会有如此大的力气？"

她露齿一笑，就像一匹狼。"我不知道。"她松开手，人滚了下来，接着走向浴室。

他跟在她身后："你是体操运动员？还是跳舞的？"

"都不是。我在学校里进行过一些力量训练。"她拿着一条白色澡巾轻轻地在双腿之间拍打。

"是大学吗？"

"对。"她抓起一大瓶经济装的薄荷味漱口水，仰起头倒进了嘴里。漱口水在嘴里前后晃动，她的面颊随之活跃地蹦跳起来。

"你有没有发挥过善于打交道的优势？我是说，除此以外的世界？"

她朝着池子吐出了绿色的漱口水，她抬头看他："嗯，有过。"

"你是通过什么方法来让人们意识到这一点的？"

她的身体靠到池子上，两手放在背后，他们面对面，她温和的脸上露出了若有所思的神情。"我只不过……不允许别人来统治我的思想。我不允许自己被塑造成别人心中的形象。"她走上前去，张开双臂拥抱他，"真有意思，您竟然能发觉女性的优势。"

"怎么说？"

"难道大多数老男人不都是喜欢被动依赖的女人吗？"

"哦，陈词滥调了。别信那一套。"

"您的妻子强势吗？"

"对，她很强势。"

"她也是律师？"

"不是。她是古文物研究者。她经营一家小小的珍品店。"

"您是在大学里认识她的？"

"对。她学艺术史和拉丁文。她可真是了不得。"

"她是第一个和您发生过关系的人吧？"

"差不多吧。"

"我敢确定这就是您找妓女的原因。"她松开手，匆匆地穿起了衣服。一只脚踩在尖细的高跟鞋上，另一只脚伸进裤衩，此时她背上露出的肉都抖动了起来。

"你在说什么呢？"

"当您还很年轻的时候并没有什么机会去鬼混。所以您现在是在体验鬼混。"她的手指掠过了格子裙上的小纽扣。

"你知道不，我感觉你是在写小说吧。著述你在这里的经历。你是一位从事妓女的卧底记者吧。"

她悲哀地笑笑："不是。"

"这里不算，你还做点什么事呢？我觉得你一定还有一份工作。我没说错吧？"

"我当然得做事。"她可以把"做"字念得具有讽刺意味。她跑到镜子前，拿出了一盒银光闪闪的唇膏。

"什么？你做什么的？"他靠近她。

"我不喜欢在这里讨论这个问题。"她打开黑色皮包，放好唇膏。他瞥了一眼，看到一沓钱和一包天蓝色锡箔纸装的避孕套。

"你为什么不想谈呢？"

"这会让我很不高兴。"

床头的电话铃声刺耳地响起，宣告了他们的时光已尽。

次日的晚上他又去见她，再之后的一个晚上亦是如此。他喜欢她欢笑的模样，他喜欢她调皮地用自己粗壮的大腿压他的肚子，或者是不耐烦地从他体下蠕走以便他们能换个姿势。她对他的努力表现得很冷漠，这点倒增添了她的性感，他便会相信她是真的兴奋了，她想要他。但若是他将手摆在了她不喜欢的地方，她就会粗鲁地甩开，然后恶狠狠地说道："我不喜欢那样。"

"这就是我如此迷恋你的原因，"他说，"你没有让我觉得是做作。你很直率。就像我的妻子。"

在那一段日子里，她说出了自己的真实名字，珍妮。她依然没有向他透露过她在这栋淡绿色房子以外的真实生活。她反倒是询问起了他的生活状况。然而要他现在向她坦白自己谎报了工作的事已不可能，太难为情了。这个谎言其实是个错误。不仅仅因为她对他伪造的律师身份无动于衷，她还是一名动物爱好者。他们耗时最久的一次聊天，竟然是在讨论她养了十五年的一只小猫，他们一直聊到那只肥胖且患有气喘病的动物死去。"它一身黑，除了爪子和喉咙。它看上去就像穿着晚礼服、戴着领结和手套，它比我认识的许多人都要像绅士。我曾看见过它保护一只母猫以防狗的袭击。"

他本可以告诉她这些可爱的故事：小猫小狗来到他的办公室，它们牢牢地扒住主人的衬衫，断翼的小鸟们躲在白色波点的盒子里⋯⋯

他去找她的第五个晚上，她并没有和其他女孩一起坐在等候室里。"珍妮在哪儿？"他紧张地问弹力裤女郎。

"珍妮？您一定是说丽莎特吧。她现在正忙着呢，"她回答道，声音平和得就像色拉油，"您愿意见见别的姑娘吗？"

一位紫红色头发的少女对他展开了灿烂的微笑。她涂着紫色甲油的手正揣着一只红色的漆皮钱包。

"我要等丽莎特。"

弹力裤女郎张大了那双没有化妆的眼睛，她同意了："好吧，弗雷德，坐下等吧，随便一些。您要喝点什么吗？"

她倒了一杯冲淡了的苏格兰威士忌递给他。他手握酒杯，面带微笑，汗流浃背。

紫红色头发少女在沙发上盘腿而坐，她掉过身子与一位傲慢的黑发女孩玩起了强手棋，那位黑发女孩躺在沙发上的样子就像集市摊位上陈列的鳗鱼。弹力裤女郎试着与他攀谈了起来。

"您在这附近工作吗，弗雷德？"

"不是。"

"您从事什么类型的职业？"

"什么都不是。我的意思是，我已经退休了。"衬衫手臂处黏合的花边补丁湿透了。珍妮正被一个肥胖的白痴殴打，而对于你能从她的肌肤上感受到的她内心的最深处，那肥佬压根儿就不会关心。

弹力裤女郎召唤他进厨房。这个屋子的装修设计可谓是考虑周全，它能保证男人们互相之间都见不着。他只能从摇摆的厨房门板里瞥见那个暗淡的黑色制服身影，他端着酒站在那里，冰块渐渐地融化在了绝望的饮料中。他听见黑色身影模糊的嘟囔声，还有珍妮露出的满不在乎。当她说"再见"的时候，声音忽然动听多了。两眼茫然的女主人打开了晃悠悠的门，她平静一笑："好了，先生，您可以出来了吗？"

格子裙珍妮双手放后，乐呵呵地站着，套着白色短袜的脚踝相互交叉，下巴向上高高抬起。他还记得他原先是如何邂逅的她，她是如何能够变成任何一位女孩，拥有任何一张温和友善的面孔，接受任何一个人的侍奉。在他意识到有关她的身体、声音和每一个挑剔的姿势全都交汇成了"珍妮网络"的一部分时，某种滑稽的疼痛感染了他，而当她的双腿缠上他的背时，味觉、听觉和触觉的世界终于找寻到了它最敏感的焦点。

她走进房间的那一刻，他走上前用手环住了她的臀部："你好，珍妮。"

"您好。"

"很奇怪没能看见你在外面等我。"

她看上去有些不解。

"我猜，在某种程度上，我已经习惯把你视做我自己的小女孩了。我可不喜欢你和别的家伙在一起。我这样很傻吧，哈？"

"嗯。"她挣脱，把整条床单铺在床上，"是不是因为你认为这些话会让我开心，所以你才说？"

"可能吧。一些女孩的确如此，你明白的。"

他能察觉到她的沉默里藏着的一丝讥讽。

他看着她的裙子拉过脑袋后扔向铝制椅子："我猜，你是自然而然地厌烦了。"

她哼了一声："我可不会这么说的。"

"那么你怎么说呢？"

她没有吱声。她往床上一坐，弯下腰脱高跟鞋，只是袜子还穿着。当她重新抬起头时她说："您真的觉得每晚来见我是个好主意？代价太大了。我知道律师很能赚钱，但还是太昂贵了。您妻子就不知道您上哪儿了吗？"

他坐到她边上搂着她的肩膀："你难道没发现自己有多特别吗？我没有遇见过一个会考虑到这些问题的女孩。她们脑子里所想的只不过就是如何从我身上拿到钱，而现在你该操心一下我会给你多少钱。我不是在奉承，只是你与众不同。"

"难道您就不担心染上艾滋？"

"从你这样的女孩身上吗？拜托，别贬低自己了。"

她笑了，笑容是伤感是扭曲，但却浸满爱意，她的手搭上了他的肩膀。她当他是自己的一条病狗，她抱着他似乎是准备去打针。

"原谅我的失礼，"她说，"我只是痛恨这份工作和这个地方。"

"这样吧，"他说，"我打算买你的两个钟点，这样我们就能好好放松一下了。你只需要躺下，舒服地蜷缩在被子里。"他起身去关灯。他调到一家浪漫的爵士乐电台。他脱得只剩一条内裤就钻进了被子下，他们团成球状。他搂着她的脖子享受着她的前额贴他的肩膀。她的四肢安详温顺地平放，好像一匹小马耗光了顽固的精力。汩汩作响的鱼缸投射出了昏暗的橙光，继而炽烧了整间屋子。"这儿又美妙又迷人。"他说。

"您的妻子何时回来？"询问声从紧挨在他手臂下的小包袱里传出。

"三天后。"他叹了口气，望向了零星几条又笨又可爱的小鱼儿在它们丑陋的城堡中游移。

当然他明白，对财政状况的担忧并不是她建议他少来的唯一原因。或许她会对他生厌。他牢记该如何与人交往，他懂得好姑娘是不乐意被人穷追猛打的。这看起来会很蠢，他想，每晚都去到那里，笑嘻嘻地跟着她。明晚他会待在家里，看看书或者电视。

他很享受给自己做晚餐。冰箱里还有许多好东西——鲱鱼，一大块略微有些变质的土豆沙拉，奶油芝士，一罐洋蓟菜心，鸡蛋面包。厨房是乱得没法待在里边吃饭了——长台面上摊满了装有银餐具和水的盘子和平底锅。

他将薄片和油油的厚片分装在两个盘子里然后端进卧室，放到咖啡桌上。他按了下电视遥控器，换了几轮频道后就作罢了。他直接用手或者塑料叉吃饭，而脑海里回放了一遍这天发生的事，就像瞎子在摸索抽屉里的私人物品。惯例会有猫猫狗狗出来大游行，还有一只得了怪病的外族鸟。他不知道该怎么诊治这只顶冠、羽翼生动、显然价值连城的家伙。他假装知道如何治它，而这只鸟现在站在它的小巢里，对着猫凶狠地张开自己钩状的喙。

他曾杀过一条狗，那头老怪物无牙、失明、浑身发臭，还有恐龙似的脚指甲。他想这狗也许会对安乐死满怀感激，他也这么说了，可却没能抚慰好那位相貌平平的少女，她坚持要扶着它让它站最后，眼泪从她的镜片后落了下来，滴到粉嫩清透的脸上。孤独可怜的小女孩，他想。他本想说："别担心了，亲爱的，你会长成美女的。你会结婚，你会有很多可爱的孩子。"不过可能这些未必会成真。

他拿起遥控器，思忖着掉换频道。如果他不再出现了，珍妮会怎么想？她会以为是他厌倦她了，于是他再也不回来了吗？他尝试着勾绘她在自己公寓里的样子。她向他说起过那里很小，只有一个房间和小小的浴室。她说浴室里有大大的窗户和一扇天窗，她种了许多植物，但若是你不把这些植物放好，那么你就不能上厕所了。她说她没有椅子也没有沙发，她总是坐在地板上吃东西。她下班到家后常常会叫中餐的外卖，然后张开双腿坐在地板上就着纸盒直接吞起来。

"你早饭都吃些什么呢？"他问。

"冰激凌，有时候会吧。如果天热的话。"

"在这么个小房间里你能做什么呢？"

"我会阅读大量的书籍。"

"你喜欢读点什么？"

她报了一连串作家的名字，其中一位的作品他曾在大学里被迫拜读过，其他那些他就都没听说过了。

他夹起一小块鲱鱼，用门牙咬碎。也许他可以去珍妮的公寓里见她。当然了，对她来说这样报酬就更多了。他会很乐意在那个有趣的小地方消磨时间的。他可以帮她买一张椅子。甚至还能是一张桌子。

西尔维娅回来后，他根本就没有可能再去见珍妮了。他想象他的妻子穿着绿白相间的连衣裙坐在飞机上，手里拎着柳条箱，灰色的头发盘成一个圆发髻，露出了优雅的脖子和缓缓竖立的肩膀。她转身挥手道别，她的微笑美极了。

他想象了西尔维娅与他面对面坐在最喜爱的扶手椅上的场景。她很放松，却依然直挺挺地端坐在整洁的橙色填充垫上。她会双脚交叉跷在膝盖上。鼻梁上架着一副浅米黄色的眼镜，她会在恍恍惚惚中浏览最新的图书目录。若是他站起来将手按上她的肩，他便能触摸到她依然苗条强健、清晰分明的瘦小骨骼。

他想起了她收藏的珍品书籍，她把它们整理好锁进玻璃橱，这面橱就矗立在书房里一个阳光充裕的角落。它们很美，同时也昂贵极了，一些书商支付了数千美元购买了其中一部分。每一次他看见它们，就顿生绝望。

某一年的圣诞节，他给西尔维娅买了本名为《完美的性》的书。只要想起那晚他就很不开心，这本书摊开在床上，一组光亮的艳情图片映入眼帘，她叹息，她还是配合地模仿了其中某张插图上的某种常见姿势。"嗳，亲爱的，"她说，"说实话。你不觉得做这些事很傻吗？"

他关掉电视机走出了房间，心里记着要在上床睡觉之前将盘子放进洗碗机里。

翌日，他一下班就开车前往曼哈顿，急得甚至都没有中途回家去洗把澡。或许珍妮会闻到他身上隐隐约约的动物味道。她或许会问他，那么他就会告诉她自己真正的职业了。

他到达城镇时天已经黑了。他缓缓地穿过时代广场，深深地陶醉在了夜之恶中。他在红灯前停下，看了看立在转角的电影招牌，那只死气沉沉的招牌上登了《疾走的辛迪》的广告。售票处旁站着一名身穿黑色皮革衫的矮个子，他隆起了枯槁的肩膀立在风中。"这个怪人，"弗雷德心想，"他搞不懂自己站在电影院门口做什么。"他再次看向广告牌，这次他注意到了边上另一块牌上印有一位穿牛仔裤的翘臀妹，金色的头发盘在脑后，她正张嘴大笑。这是牛仔裤的广告，但更像是一部电影，他有点想知道是不是真有此用意。他转头扫向了马路的另一侧，看到一位被撞的老妇人躺在人行道中间，失去了知觉，她的脸孔贴着混凝土，褴褛的裙子落在她丑陋的大腿上。他愤恨地发现一名年轻男子就在她两尺之外的墙上撒尿。人们从她身上跨过，好像她只是个障碍物，蛇蝎心肠的人们啊，他就是这么认为的，他们朝着不同方向挥舞四肢，抽动嘴巴互相之间大呼小叫，噬食热狗或意大利冰激凌。不知道若是变成他们中的一员会是何等感觉？他看到三三两两的妓女们，穿着迷你裙和皮靴，尖声大笑地走过垃圾桶。

他一到达下个街区就停在了某家中式花店的门口，他为珍妮买了一朵长柄玫瑰。

"就像你想的那样，我不会忘记你。"花从他手里递出的时候他说道。

"谢谢。"她把花放在床头柜上，置于一瓶婴儿油和花式克里奈克斯纸巾盒的中间，"您病了？"

"不。我只是有些事情要忙。你想过我吗？"

"嗯。"她开始解纽扣。

"听着，珍妮。明晚将是我这段时间最后一次来见你。我思索着我们也许可以做点特别的事。"

"比方说？"

"比方说你可以打电话请病假，这样我们就能外出吃饭了。"

她的手放膝盖上，两眼直瞪他，那双烟熏妆的大眸子里布满了惶恐。

"我们可以吃晚餐，看电影或者听音乐会——只要你喜欢，什么都可以。然后我们可以去酒店——或者去你的公寓——我们整夜都在一起。"

她低头抠起了指甲。

"当然了，我知道我不能要求你去请假却又不给你相应的报酬。这方面你不用担心的。"

"多少钱呢？"

"五百。"

她没有做声。

"一定很美妙。我们可以有时间去扮演恋爱中的人。你说呢？"

"我不知道。"

"你有什么保留意见吗？"

"我认为这种处境中的人不可能表现为热恋的状态。"

"好吧，也许你是对的。但要是那么做了，一定很有趣。我很想和你聊聊我们看过的电影或者……"

"我想，若是您见到了外面世界的我，您一定会吓到的。"

"我可不认为我会因此就不喜欢你。"

"您会觉得我是个怪人的。"

"我可没有你所以为的那样保守。"

"只不过我们很可能变得无话可说。"

她并没有嗅到任何动物的气味。

他在约定的地点等候了半小时。她的失约并没有让他太过惊讶。真正令他诧异的是，当他打电话想要预约时却被告知她已经辞职了。她过去常常说自己痛恨这工作，很快便会离开，可是那些女孩子们总是嘴巴上这么说，行动上却是继续待上几个月，甚至几年。

隔天西尔维娅就回来了，她笑容满面的脸晒成了古铜色，她开开心心地在厨房台面前洗碗，取走揉成一团团挂在浴室里的湿毛巾。她给他讲述发生在亚利桑那州沙漠的美丽故事以及她参加的书展。他无声、有礼地同她做爱。她细长的胳膊紧紧圈住他的肩膀。当他试图将自己与珍妮的那一套展示出来时，他可以感觉到她的身体变得温驯、耐心了。

他每个月都会开车去曼哈顿嫖妓一回。他每次都去不同的地方，他想找到珍妮。只要他拜见一位新女孩，他就要遭受相思之苦，恼人的是，无意义的对比爬满了他全身。

他想起她的时候并没有感觉到爱之类的情绪。他只是体会到一种带着疼痛的喜爱。他记得自己曾经也有过一次类似的经历，他遇到了大学期间疯狂倾心过的女孩，可她的身材已经走样，并且正在购买一盒帮宝适。他不解的是，如今自己竟然会为了在妓院里邂逅的女孩而又一次遭遇同感。

差不多一年过去了，某日下午，他去曼哈顿进行圣诞节大采购。这座城市在这个日子里显得格外不一样。他想到了白天的曼哈顿，首先出场的是一位留着黑色长波浪的漂亮姑娘，两颊上还映着不自然的绯红，她比谁都快地行走在宽敞却拥挤的人行道上，脚上鲜艳的鞋子配合着紧密狭小的步伐，敞开的夹克廉价却时髦，腰带暴露在外头，胳膊紧紧夹着手提包，她的头尽可能躲开任何一个潜在的注视者，她将一只手插在上衣的口袋里以避免衣服松垮垮地左右摇摆，她疾走而过的时候还不忘浏览一番橱窗里的陈列品。接着他幻想了一位笨拙的中年制服男子，一副眼镜搭在鼻尖上，西装领子沾上了一些油腻的面包屑，公文包紧夹在身体的一侧，肥胖的身躯尽可能快地滚下了街道，敞开的夹克衫还在啪嗒作响，干涸的双眼草草地掠过那个女孩，掠过任何一个像她那样的女孩，他正朝着办公室的方向冲去。

这个画面有些伤感，有些辛酸，但是倒不妨碍他利用购物的时间好好地欣赏女士们。一日将尽，他只买到两件礼物——给十几岁小侄女的礼物是件镶嵌着一对银白色小兔的毛线卫衣，而送给西尔维娅的是他在表店买的一块考究的老式手表。

他搞定礼物的时候已经傍晚了，他饿了。在表店附近有一家他特别钟情的咖啡馆，不仅因为那里的食物非常可口，还因为他喜欢观察一群奇装异服的青年常客。

女服务员的个子很高，凸起的额头上蒸出了汗，脸颊上浮了几颗可爱的小雀斑，她笑呵呵地拿了本长长的塑料菜单朝他奔去，她迅速地引他到了角落的桌子入座，桌上有一只绿色的花瓶，里面插了一束黄色的花。"请吧。"她喘着气说完就跑开了。他脱下厚重的外套，饶有兴致地望向了人群。他捧起菜单，瞥了一眼左手边的桌子。自那一刻起，室内的其他人都成了一道匿名的彩色轮廓，他们可以旁若无人地啃手指。珍妮就坐在他的边上。她和一个小伙子在一起。她也只是匆匆地一瞥，他都来不及看清她的表情。她立刻把手放到桌上遮住了脸。

他的视线转向了别处。他把薄纸板菜单夹在手指间。他在推荐冷面的一页看了三遍。他掉过头去看她。她的头发长了，束起了的马尾辫就像一颗褐色的毛球。尽管她用手遮住了脸，但他还是看出了她的素面朝天，她的皮肤在日光下又水嫩又红润。她穿了件旧的奶油色毛衣，上面有粉色和蓝色的郁金香勾花。

他注视起坐在她对面的小伙子。他二十岁出头吧，看似再平凡不过了，厚重的金发修剪得糟糕透顶，就如稻草一般从丑陋的灌木丛里蹿升到了前额。他戴着一副倾斜了的龟甲色眼镜，其中一条镜腿还用浅灰色的胶带绑着，他身上穿的棕色的毛衣厚得都能当大衣用了。他的皮肤红润粗糙，脸上的表情开心得一塌糊涂。

凭着一股近乎残酷的冲动，他探过身子，挑衅地瞪着那孩子。小男孩友好地回看了一眼，一边把勺子搁进了面前的汤碗里。

"嗯，"他说，"西蒙尼可被她的老友们拒绝过无数次了。"

"我不是真的要拒绝她，"珍妮说，"我只是希望彼此能在情感方面疏远一些。只要每一次她那些疯女友开始追着她打时，她不用再不得已给我打电话，这样就够了。"

她打算继续坐着说她的话。

"目前发生过几次了？"满嘴都是汤的丑小子问道。

"五次，算上最后一个女朋友吧，有三次是早上六点。我是说，我的天哪，她是从哪儿找到这些女人的？我总认为女同性恋是不会狠狠殴打对方的。"

一个穿着黑色皮革短裙和豹纹紧身裤的服务员前来为他服务。"您准备点菜了吗？"

"不，不，还不要。"她笑笑便离开了。他把脑袋埋进菜单里。他还不太愿意相信这次的经历会这样难过。

"我的意思是说，她的生活是她的生活，"珍妮说，"但她最后一次给我打电话的时候，她是真的把我喊去替她与那个肌肉发达的黑带癫狂者调解，天知道是为了什么事情，她们互相尖叫，西蒙妮威胁说要割腕，噢，真是一团糟。"

"听起来太夸张了。"

"就好像她不但是变成了窝囊的受虐狂，她还希望能有一个观众。我知道我的话有点恶毒。"

"我倒不觉得你恶毒。大多数人都会像你这样做的。"

"但是，这太悲剧了。她是多么好的一个人。至少有两位我认识的妩媚女孩渴望钻入她的内裤，但是她一点兴趣都没有。她钟情于泼妇。"

"看着吧，西蒙妮又把自己陷进了灾难里。她一贯如此。之后她就会设法将一定范围内的所有人都牵扯进去。"

他们理直气壮地吃起了饭。珍妮还是撑着手肘，捂着脸。

"工作找得怎么样了？"她问。

"目前为止还不错吧。我说过，我觉得我当时在阿迪斯电影做得不错。我也认识一些原本在那儿工作的人。唯一的问题就在于那儿的人太自命不凡了。每个人都有一个'赫索格'或者贝斯·B博士之类的密友。每个人都有一种浮夸的口音，尤其是当他们说'电影'的时候。"

"这是纽约职场，"珍妮说，"艺术领域里的人从来都是这样。"

"也许我该和你一道去博物馆工作。"

"如果我们不罢工的话。似乎是该这么做的。"

"如果罢工的话，你还能倚靠你的自由职业存活吗？"

"也许吧。"她的手落到了下巴上，他看见了她的脸，"我不知道。"

他从桌上站起来，眼观前方，缓缓地裹上了大衣。走出饭馆的时候，他能感觉出她并没有回头。他回到了韦斯切斯特的家中，这时他才意识到自己把装着兔子毛线卫衣和西尔维娅手表的包袋落在了咖啡馆的桌下。

黛西的情人节礼物

浪漫周末

美妙不已

篡改之恋

联系

斯蒂芬妮的尝试

秘书

额外之因

天堂

他在早晨上班的路途中看见了她，尽管已有四年未见，他仍旧无视了她。他们的邂逅地点是密歇根大学。这段艳遇既仓促又令人不快，他甚至都不把她列为前女友。对她的记忆，犹如一段电影般的梦的残片，在你昏沉沉地起身走向厕所时浮现出来；又或者，犹如有一个被困在模糊记忆网中的广告女孩，坚持要等着你在夜里晚些时候去与她实施性行为。她那纤细的肢体与苍白的动作加深了他的印象。他们擦肩而过，随身听里震耳欲聋的音乐声响帮助他轻而易举地忽略了她。她越走越近，略有不安于是试探性地将脸倾向了他的一边。她从他身边走过然后消失不见，取而代之的是一位职业装女孩，以及两位目不转睛大步向前的公文包男士。她似乎并没有察觉出他的无视，事实上很可能她也在故意无视他。他们的恋情收尾狼狈。

他沿着潮湿阴沉的地铁往下走，稍稍回味了一番她写着诧异的脸庞。他先前从不选这条路去上班。也许这是她的常规路线吧。

他想知道她究竟从事何种职业，过去的她，蓝色牛仔裤塞进磨破的黑色短靴里，一件花呢大衣，脖子上搭着一条围巾。他不知道她会不会因为自己穿了一身套装偶遇上他而感觉尴尬，显然他的职业是相当体面的。他看见她的灵魂躺在那条皱巴巴的床单上，一手肘支撑起身子，长长的秀发随意地撒在肩上，她在诉说她理念中的成功。他浅浅一笑。地铁踏着刺耳的巨响冲进了视线，一如每天早上，他挤在了困倦难闻的人潮中，拼命地朝前赶。

他出现在曼哈顿一片较整洁的区域，迈入了一栋灰色大厦下的玻璃旋转门，这栋大厦的纹理和形状与《纽约客》上曾刊登过的一幅卡通办公楼插图一模一样。他供职于一家主攻外语片的独立电影分销公司。这是一间享有盛名的公司，对于一毕业就能马上得到这份工作，他深感自豪。当他第一天来到此处，他激动地获悉自己竟然可以参与重要影片的筛选，可以带他的朋友免费去观看电影，可以每时每刻都能碰到一些名人。

这个办公室很小，房间里胡乱地摆着瘸腿的家具以及秘书和助理专用的橙色正方形书桌。那里有一块公告栏，一起钉着的还有杂志标题和照片厚板。"嗨，乔尔。"前台小姐叫道。他经过时，她随声附和了另外两位助理。他停下脚步与塞西莉亚攀谈起来，这位同事可是他在踏入工作的最初两年里交往过的。现在一切结束了，他们成了朋友，还常常一起共进午餐。她聊起了她前一晚的约会。

"我着魔了，"她说，"他的工作"——她提到了两位时髦的导演——"明年夏天，他会飞去法国和埃里克·侯麦一起工作。他非常迷人。风趣、智慧。他是一切。"

"听起来很棒啊。完美先生带你去哪儿了呢？"

"格洛斯特之家。排名前五十的海鲜酒店。"

"接着呢？"

她接应了他那玩笑似的秋波，然后回答了他。

对于塞西莉亚如今这位富裕、出名的男朋友，他并不以为然，在一定程度上是如此吧，他猜想，因为凭借着他们曾交往过的事实，他也不知怎么的全然迈入了他们的社会阶层。塞西莉亚的迅速上位让他深感羞耻，毕竟是她将他甩在了后头，一份同样的工作他干了整整三年。"我的内在时间与别人的都不同。"他突然想起，很久以前，他跟街上遇到的那个"幻影女孩"说过同样的话。

他坐到自己的桌前开始查阅前一天的邮件，然后打起精神，拿起了电话机。他花了很长一段时间给全国各地学生电影组织和协会打电话，设法让他们对阿里尔的电影产生兴趣。这事他向来很拿手，不过现在他不得不打消一些令他沮丧的念头。近来与他外出共进晚餐的某位女士也用电话来处理大部分工作。有一回她竟神经质地动了火气，告诉他，她对于老是用电话来处理事务开始感到奇怪。"想想吧，"她说着，绷紧的精致手指死握着插在面条上的叉子，"你整日都孤独地把自己关在房间里，与脱离躯壳的声音对话。全年里几乎所有的时间都是这样。你沉沦在飘忽不定的表达中。你不认识这些人，你甚至不知道他们是什么样儿的。没有握手，什么都没有。仅仅只是从塑料小孔中溜出的声音片段。"

"你太夸张了，"他说，"不过很有喜剧效果。"

"直接说吧。我从没觉得我应该干这事儿。我就是痛恨打电话。"

为什么他总是被这些娇小滑稽的女士们吸引呢？

他拿起电话，开始推销阿里尔最新的作品——一部他并不喜欢也不愿意宣传的美国影片。情节很荒谬。这部电影收到的评论却很友善，这让他很吃惊。电影的主角是一名年轻的中国女子，她在旧金山的一间日式艺妓酒吧里工作，她要寻找一位她从未见过的亲戚。在某个不为人知而古怪的政治团体的一次会议中发生了一起谋杀案，随后她这位叔叔就失踪了。这名女子没有找到她的叔叔，即使不断有人将他的相片扔在她的必经之路，甚至不可思议地夹带着《易经》中的选段。这行为白痴极了，不过在大学生里却非常流行。"它本身并不算是一部政治影片，尽管存在着一些政治元素。它更加接近于公共社会的同一与假象。"他对买主们说。

午饭过后的会议上讨论了几部有待考虑的新晋影片。其中一部是根据一位著名南美作家的中篇小说改编的，讲述了一位被祖母逼迫卖淫的孩子。听着关于这部电影的讨论，他又一次想起了那天早上他在街上遇到的女孩。儿童卖淫这样的主题总能让他想起她，即便是时过境迁以后。这是因为差不多她初次见到他就告诉过他，她在十五岁时离开了家，而到了十六岁她已经从事了两个月的妓女工作。他们邂逅的那会儿，她是一名二十二岁的专科学生，可在他认识她的整个时间段里，种种信息都在她上空营造了一层迷人的薄雾。

下班后他去参与了一部南美电影的审查。那是一出摄影绝妙的政治寓言，他一贯对这种类型赞赏有加。但是让他坚持下来的画面却与政治毫无关联。那个阴郁的孩子被第一位野蛮的客人强奸了，她转过头想逃过他的嘴，一条扁平发亮的鱼儿在虚构的水里游窜，激起的细微涟漪滑过了她的脸庞，是一次回忆吧，也许就是那只漂亮的鱼缸，在祖母家那栋已拆毁的宅邸里。

他到家后便打电话给一名他曾约会过的女子。"没什么事，"他说，"就是突然想起了你。想知道你过得好不好。"

他的来电让她很愉悦，她说她一整个星期都很压抑，起因是一位代理人对她的书写颇为不满。他比预期更快地厌烦了此回合。接着他的电话拨向了一位不爱聊电话的女士。她同样也很压抑。她的父亲总是打来电话诉说自己生活上的窘境，有时候甚至在她早上临出门时铃声就响了。这事还算有点趣味性，不过他依然迅速地挂了电话。

他给自己煮了碗速食面，是袋装的那种蔬菜黄油印度面。然后又开了一罐沙丁鱼带进卧室，边吃边看电视。他切换着频道，最好的节目就是一档脱口秀了，嘉宾是一位十几岁的美女影星，最近刚好出演了某一部卖座的片子，其中还有些色情的裸露镜头。他喜欢看她。她有着谨慎周密的礼貌，这一点若是在成熟女子的身上便会显得死气沉沉，但是在一位少女艳星身上却撩人极了。在他吸着面条的时候，脑子里产生了模模糊糊的幻觉，他们相遇，他诱惑她来勾引他。

他早早地爬上床睡觉了。他醒来后才意识到自己做梦了。某些来路不明的机构将一个十四岁女孩托付给他照顾。她很高很可爱，有一双严肃的大眼和一头乌黑的长发。她讨厌穿衣服，因此她总是裸体在房里徘徊。让他兴奋的并不只限于此，她的天真无邪才是最能打动到他的。他记起了一个场景，她光着脚丫无忧无虑地沿街区骑着单车，她的头发捕获住了阳光。随后梦境开始逆转向了不幸的遭遇。她被一群焦急的邻居追赶，所有人都想剥下她的衣服。他们抓到了她，从他的呵护中强行夺走，然后控告他下流和猥亵儿童。

这番梦境遗留下了荒谬的挫折感以及犹如被蚊子叮咬般的失落。他一边刷牙一边扮鬼脸。他迫切期望他的室友从意大利回来。他从未去过欧洲或者别的地方，别人的离开总让他心烦意乱。

他再一次踏上那条反常的路径。他又看见了她，几乎还是在同一个地方。这一回，她直视了他，脸上甚至还挂上一抹淡淡的微笑。她害羞地点点头。他微微地点了下头，都没怎么敢看她的脸，她就走了。她淳朴的波波头很好看，但还是美不过先前的长发。

那天下午他和塞西莉亚共进午餐。他们点了蘸着黑麦和奶油芝士的玉米粒牛肉，还有熏鲑鱼。餐厅里满是那种看起来曾遭遇过彻底的失望、并对这失望产生了依赖的服务员。塞西莉亚自信满满。她既不矮小也不做作。肩上披着金色的头发，丰满的身体十分平静。她说话太过拖沓，转头的方式悠闲却隐约地暴露出强势的掠夺性。她出身于富裕的家庭，他推测这就是让她充满信心的源泉。她的背景是吸引他的一部分原因。他并不追求她的财产（当然了，他并不介意某天她向她的父母开口，说要赞助他的某个电影计划），只不过这个富家女的身上有异国风情并且讨人喜欢，她的一生都会因为金钱的做伴而饱含安全感。财富的香味无意地华丽了她，就像懒洋洋的小女孩睡在花园里，小草染上了她的肌肤。他把她想象成一名少女，躺在有天蓬和真丝被单的大床上，虚度光阴。她穿着内衣，她阅读托尔斯泰，偶尔挠挠身子，偶尔吃颗巧克力，尽管他知道塞西莉亚不喜欢糖果也从来不吃糖果。

"太有趣了，"她说，"既然我是如此接近成功，我对此的兴趣也越来越少了。我一直明白自己会成功的，我不过是在为此付出。但是成功总是很难企及，所以我时时刻刻在为此困扰。这是我的目标。现在看来它更像是自然而然的结果，我的一生中需要历经的又一种元素。它甚至不再那么重要。生活里还有太多其他的东西。井底之蛙可傻透了。"

"你说起来容易，"他说道，"往往当你势在必得的时候，这些事物才变得不重要。"

"并不是说它不重要，只不过我不能再将全部重心置于其上，同时驱逐其他事物。但是我坚信我会非常享受它的降临。无论什么事情，此刻于我是真实存在的，而不是我未来要获得的。"

他没有作答，只是咀嚼着食物，她伸出舌头轻轻地舔了舔嘴角。

"我想我几个月后会去意大利，"她说，"我实在是太兴奋了。我想去见一位意大利电影制片人，然后和他谈谈。"

"我的室友就在意大利。"他说。

"你告诉过我了。"

几个月后他便会说："我的朋友塞西莉亚在意大利。"他凝视她安详的脸庞、静止的喉咙还有微微上抬的下巴。他们同居了将近两年。她就用这张嘴为他口交。他心里想着：我的朋友，塞西莉亚，我的朋友。

他回到办公室后就连接长途线给威尔森打了电话。威尔森曾是他在安阿伯大学时期的密友。他如今坚守在华盛顿一所大学的地理系教书。乔尔每个月都给他打两次电话，八卦曾经和他们一起读书的人。他知道威尔森与今天早上他见过的女子一直有联系。

"你知道萨拉在忙什么吗？你知道她在哪儿工作吗？"

一阵沉寂的呼吸声传了过来，威尔森很久才开口回答："她很好。

我想她还是在东区的酒吧工作吧。"

"她为自己的画找到买家了吗？"

"我想没有吧。自从在那个俱乐部举办过小型展览后再也没有。怎么了？"

"我这个星期在路上见到了她两次。我们还没机会说什么话。我只是对她的近况有点好奇。"

威尔森非常不看好乔尔和萨拉的那段关系，即使他曾病态地迷恋过此事。就是这事提高了乔尔在他心里的地位。

乔尔挂了电话，转头凝望窗外一丛孤立无助的楼房。

他被干扰了，关于萨拉的回忆就像雪花密布的广告画面，无声地穿过他的脑海，回忆被切断并且被拙劣地篡改——萨拉在还没有认识他的时候，会双手捧书拖着娇小瘦弱的身子走过道富银行，穿着牛仔裤和浅黄褐色的靴子。她的臀部足够圆润，紧闭的嘴巴有些忧伤，大大的眼睛若有所思，但是她走路的姿势仍旧保持了呆板僵硬。他每一次见到她，她都是孤身一人，似乎总模模糊糊地表现出对身边一切事物的惊奇。他看到她直挺挺地坐在他的床上，阅读一本有关南非的书。他看到她坐在桌对面，徒手夹起一只红烧大虾，她聊起了她当妓女的经历，不知不觉地引来了邻桌的目光。她出现在黑暗的电影院观众席上，她用手托住下巴，蹬着靴子的双腿在另两张椅子上摇摆，她的舌头嘲讽性地啪啪作响。

"真太扯淡了，真像中产阶级了。谁说他震惊了？这不过就是对约定俗成的感应。太天真了。"

"你不理解颠覆的概念。"他说。

"我比这个镇上的任何一个人都明白颠覆。"她说。

片段开始加速，在一瞬一瞥之间走向模糊。黑暗里的她忧郁无助，凌乱的被单露出了淡灰色的床垫。她慢慢地越过他，从纸盒里抽了张"鼻涕布"，僵硬的脊椎骨和肩胛骨更显凹凸不均。脚踝上干燥的坚硬。手指间不安的黏性。"猛一点，"她说，"猛一点。"

他可以感受自己的双眼藏着秘密渐渐阴沉下来，他小心地滑进了一所性幻想的避难洞穴。他的焦点游移不定，他再一次滑了出来。安阿伯时期的他穿了耳洞，他时不时地戴着顶贝雷帽。他在工会的学生报上发表了文章。他带安迪·沃霍尔去顶级电影院。他看见自己来到德尔里奥外的马路上买醉，他一边与威尔逊说话，一边还在呕吐。他们谈论政治与性，威尔逊大部分时间都在说政治，因为他的性经历微乎其微。这时乔尔才遇上萨拉不久。"她很棒。她是所有男人的梦中情人。我不能告诉你原因，因为我向她发过誓我不说的。"他转过头去呕吐。

在安阿伯，一切都如此重要，在欢快地挣脱并去尝试之前，一切都充满幻想萌动时的紧张感。"我的梦想便是成为左岸的潮流人物，"

他告诉萨拉，"投掷炸弹，制造骚乱。"

"我想成为优秀的画家，"她说，"或者是一名伟大的画家。"

"听着，"他说着用手支撑身体站起来，他越过了她的脑袋，"我希望你能变得强大。你离世间的邪恶太遥远。我希望你成功。"

"我够强大了，"她说。她的眼神清澈安详，"我比我所认识的任何人都要强大。"

他擦亮了眼睛，再一次望向浮躁的大厦，它们被午后的烈日蒸出了汗水。当然，她根本一点儿都不强大。他记得他们之间最后一次对话的电话里，传来了她战栗的哭泣声。"我很怕，"她哭了，"我感觉我不能活了，我吃不下东西，我什么都做不了。我想自杀。"

"听着，我生在一个普通却幸福的家庭，"他说，"我的适应力很强。我无法辨别这类的自我价值批判，还有任何你的情况。不管怎么说，我们仅仅才认识几个月，我没有义务聆听你的遭遇。你该打给精神病治疗师，总之我现在必须去洗澡了。"

他无法容忍脆弱的女人。

晚上他去了一家夜店，同行的是他的朋友杰瑞，另外以及杰瑞的两个大块头律师朋友。他们去的那家夜店命令他同其他家伙待在门外，由一名傲慢的门卫负责做检查，他准许不准许他们进入全都取决于他看那些脸顺不顺眼了。乔尔和杰瑞，还有两位律师，不得不花费过长的时间等候，而一拨又一拨熟客早已漫不经心地进了场。这并不丢脸，反而是娱乐的一种诡计方式，种种的态度都将被列入观察。其中一位律师不停抱怨道："我已经不想进去了。太拖拖拉拉了。我们到别处去。"

"别这样，里面真的很不错，"杰瑞说，"你会知道的。"

最终他们获得了许可，走进了三层楼的夜店，他们贪婪地四处张望。乔尔一杯接着一杯地喝兑了许多水的酒精，带着惆怅的轻蔑去瞪视在骚动中汗流浃背的人群。他们把头发搞成苏斯博士的模样，从着装上来看，这些孩子们似乎是偷穿了父母的衣裳。曾有一度他很渴望成为其中一分子。现在他深深领悟到了他们的愚蠢，尽管他依然乐于观赏他们。他看见一个姑娘独自站在吧台，她打扮得像十二岁小孩眼里的妓女。黑色紧身上衣，芭蕾舞式外翻的短裙。她很瘦小，站立着的脚踝相互并拢。他站在墙边，假装在研究艺术一样研究着悬挂着的材料。他记得他曾在安阿伯的公寓挂过这样一个充气的娃娃来用作派对的装饰品。它穿着萨拉的衣服，打着跟萨拉一样的孔环，上面用透明胶带贴着个牌子，写着"伤害我打我操我"。威尔森说："乔尔，得了吧。过头了。不好玩了。"乔尔继续看着吧台的姑娘，试图抑制自己肩膀的抽搐。

与她简短的交流了一会儿后，她并没有沦为他口袋里的一张写有电话号码的纸片。他又看见了那两个律师，他阔步走向他们，一同嬉笑起来。他们没找着杰瑞，三个人索性钻进了辆出租车一起离开了，三个阳刚的肩膀挤在有配窗的后座上，他们表演着粗鲁的笑声和不经大脑思考的评论。

他满脑嗡嗡地走进了自家门厅狭窄的黑暗公寓。他在上床之前迅速去了趟厕所。他剥下衣服扔在地板中间。他背朝下躺好，一只手捏住了阴茎。他想象了许多诱惑人的画面，仔细地勘察每个场景中可能出现的细微差别。出现了塞西莉亚，出现了吧台的姑娘，出现了萨拉。"用皮带抽我，"他对她说，她迟疑了一下。"你不认为你配得上吗？"他一边手淫，一边看着双腿张开的萨拉弓着脖子摩擦自己似乎伤痕累累的阴道。他结束了。他用"鼻涕布"纸巾擦清腹部。一趟回忆逃离了幻想，驻留了下来。

"我爱你。"萨拉说。

"这不是真爱，"他说，"这是短暂的激情。"

"不。我爱你。"她的鼻子和嘴唇亲昵地贴上他的面颊，她的柔软刺激了他。

这幅影像越来越小，异常地苍白，周围暗夜一片，然后褪尽成电视关掉的画面。

黛西的情人节礼物

浪漫周末

美妙不已

篡改之恋

联系

斯蒂芬妮的尝试

秘书

额外之因

天堂

苏珊已经五年没有去过曼哈顿了，她将此行当成一次华丽的缅怀，对于多愁善感和某种似曾相识的轻微疼痛。头三天不过尔尔。她走过几段长长的路，拜访些许旧友，坐进当年常常光顾的咖啡馆——那还是长发飘飘的清瘦少女时代吧——孤独且忧伤地品味咖啡。她随性地漫游在这段时光中，享受回忆与情绪的奇特交融，它们玩笑般地展露出影子然后重新消失不见。

她踏上了通往拉斐特的巴勒克大街，一名矮小的年轻拾荒女闯入了她的视线。她始终站在人行道的中间，一只手露在外头，另一只手虚弱地抓着一个仿佛钱包似的小塑料垃圾袋，她向每一个人乞讨，眼睛却不看向任何一个人。撕毁的毛线衫、褴褛的裙子和羊毛袜子，三者的色调如此乏味却如此和谐；她像鸟那样歪着她细小的头部，活像一幅无意画就的、表现童真好奇的漫画。她的脸庞和身体清晰地呈现出过往美貌的痕迹，丰腴的嘴唇，带着一丝意味深长的可能，牢牢地紧闭着。她的沉静在纽约人之中显得尤为失落与无助，但在她的身上有一种炙热的强度，好像她的毛孔里正散发出了什么黏性的物质。苏珊胃里突然涌现的恐慌感迫使她在脑筋反应过来之前就掉头，径直走向另一条路。当她明白了自己的不安后，她更加难受了。这个拾荒女子真的太像蕾莎了，多年以前她最好的朋友。她的脸、姿势，甚至穿着风格。她就是蕾莎。

她拐入了一个角落，在一堵墙前停下脚步，她的心脏在痛苦地起搏。她记起一个话题，是一篇文章或者一场脱口秀，或是某个自命不凡的家伙讨论过的，就是关于遇见旧相识的概率，这些旧相识们不如你成功，同时你又要避免互相之间起摩擦。她想：这不可能是蕾莎。自从六年前那回不愉快的争吵过后，她再也没有见过蕾莎，更别提是说话了。苏珊最后一次收到雷莎的信就是她的婚礼邀请函（她要在一个乡村俱乐部跟一位律师结婚），苏珊不屑地将信扔进了垃圾桶。可以确定的是，蕾莎不可能在六年里从一位富裕的新娘变成一名拾荒的女子。就算她真这样了，她本身的那个中产阶级家庭（对这样的计划保持着警惕）也会将她的想法扼杀在萌芽之中。不过，一切皆有可能，就像蕾莎自己时不时会声明自己的善变。她除了做服务员其他都不行，苏珊总是担心若是有一天蕾莎失去了美貌那么会怎么样。

　　拐入转角并不仅仅等同于那种自私地躲避不快的渴望。苏珊幻想过若是蕾莎认出了她那么会有多么痛苦，想到这点她便畏缩了。但是她还得继续走上街，吃午餐，与家人联系，等等。她承认但又扼杀了一个念头，便是她的老友已经精神失常忘了她，她被自己吓住了，身体中的一部分突然因蕾莎成了拾荒女子而感到满意，甚至有些得意。她的这一部分渴望帮助蕾莎，但仅仅是出于责任和恩赐的荣誉，她们的友谊早在愤怒里就宣布告终。苏珊低下头用双手盖住了脸，抬起头却迎上了一个过路少年的腼腆目光。

她重新踏上人行道的征程，可是拾荒女子不见了。不对，她还在，她靠墙站着。苏珊向她冲过去，准备开口说点什么，这时她才察觉这个女子并非蕾莎。这陌生人看着她，眼神温和，眼珠如同玻璃（褐色的，不是深棕色），伸出了手。苏珊松了口气，同时不安起来，她在钱袋里摸索一会儿后找到了五美元，然后将钱按进那只皱巴巴的手里。那位女子看也不看就把钱收了，她说："上帝爱您。"

苏珊经由第八大道走回了她朋友的住所，她回想起跟蕾莎一起去淘鞋的情景，她开始垂头丧气。这一次的曼哈顿之行将蕾莎唤醒，她本是记忆中缥缈的片段，但现在她却成了所有其他可见回忆的透镜，苏珊敏感地咒骂了一句，然后设法开始想点别的事。

苏珊三十五岁，而蕾莎三十四岁。她们来往的那些年里，苏珊是位有抱负的作家，蕾莎是一名演员。每当她的脑中浮现起蕾莎积极的形象——它这六年来很少出现——她就会看见她们一同拥在蕾莎的房里喝茶、饮酒、抿可乐、吃喝，探讨她们的事业。蕾莎热爱"事业"一词。"我觉得真的会是你先开始，"她说，"就像轰，你的事业就冲天而去——我就是这个意思。"

而在现实里却没有发生。苏珊在纽约的日子几乎全交给了打字、校对、地狱式检查，可能一年才卖出两篇文章。她一点一点丧失了迈向作家行列的目标，她谋取到了一本刊物的入门级职位，她并没有奢望太多。她的编辑事业并没有如同冲天火箭，不过一路走来却还算顺顺利利。芝加哥，也就是她现今的落脚点，她正为一本狂妄的电视杂志干编辑的活儿，偶尔也会给当地的娱乐指南写些影评，一般没有报酬但是却给了她发表审美评论的机会。她只要一想到这本杂志，她就打心底里生厌，她总认为这是她的败笔；当她不再考虑时，她便会将自己投入工作中，下定决心将工作当做她的归属。

"你觉得我的事业会怎么样？"蕾莎提问的时候会后拉肩膀，好露出那水灵的长脖子。苏珊小心翼翼地回答她，恰到好处。三年里蕾莎反反复复地修同样的表演课程，直至老师告知她无须再继续为止。她有一张陈列柜，一连串的面试，之后的几年全耗在祈祷、看治疗师和信用卡的债务之中了。

苏珊经过了第八街戏院，她留意到几个身穿黑色短裤的长发男孩，他们无精打采地徘徊在入口处。她记得以前，往往到了夏天，她和蕾莎就会站在圣·马可烤肉酒吧外，她们会换上黑色的紧身短裤，嘴唇上涂抹白色的口红。她用舌尖顶住上颚，发出典型的"高中生"声响，以此鄙视自己的多愁善感，这时她才记起这份多愁善感才是她这趟纽约之行全部原因。

她走上了格林威治大道，浏览她一直钟情的韩国水果摊，狭小的五金店贩卖的是玩具一样多余的东西，紧凑的露天咖啡庭院，服务员们在古典音乐中踩着拘谨且神经质的脚步。比起干净整洁的芝加哥，这里的奢华太令人作呕了。她钦佩的是毛线衫搭配皮夹克、趾高气扬的年轻女子，她钦佩的是表情冷漠、臀部跟随脚步傲慢抽动的男子。她幻想花呢外套、黑色短靴的蕾莎和她走在一起，这位发丝尖细的小女孩会踩着奇怪的直线，坚决与冷凝的特性照亮了那张棱角分明的脸。

她们是在安阿伯念大学时认识的。两人先后与同一名男子陷入过短暂的恋爱，此男不幸地被论证为一个无趣的蠢货，这是她们过了相当长一段时间以后才认清的。蕾莎在先，他们分手后仅仅一个月他就遇见了苏珊。她是在他的室友，也就是蕾莎的后任男友举办的宴会上，开始注意到蕾莎的。苏珊靠在暗黑的墙壁上，喝塑料杯装的伏特加，她在观赏舞池上那位戏剧化的小尤物，小尤物醉醺醺地盘旋在清醒的舞伴周围，推推搡搡，急扭臀部，不省人事地屈膝下蹲。她的舞伴突然将她举起，庄严地在房间里打圈，他像献祭似的将她高高举过头顶，她惊叫："停一停，艾略特，请停下来！"苏珊顿时对她产生了反感。她想：作为舞者，我可比她好多了，她把酒杯放在窗沿上，然后走上前去证明自己。（很久以后她才听说蕾莎对她的舞蹈也很不屑。"那就像，好吧，女孩在跳舞时是什么样儿的？她会扭屁股，着重显摆她的乳房，身体延绵起伏。"）

此后苏珊断断续续了解着她——聚会、咖啡店、看电影或者保持一定距离地散步，她的步伐如同拥有僵臀、活颈的狮子狗。她会在流言蜚语里听到蕾莎的名字，通常也总是出现在有趣宽容的调调里，讲来讲去不过就是些挫败的浪漫史，"疯狂"一词尤为突出。后来苏珊与一位名叫阿历克斯的女孩亲密起来，这位女孩很偶然地与蕾莎以及另一名女孩合租。阿历克斯也不喜欢蕾莎，她和苏珊非常乐于讨论她的陈腐与做作。

但是这样的谈话却逐渐浮现出了意想不到的效果。随着她们对蕾莎的诋毁和分解，一种奇怪的情感冒了出来。她们开始运用诸如此类的辞令："好吧，她讨厌极了，但你得承认她的心肠很好。"苏珊在街上遇见她时就将她化作电影中的角色，一种可能或不可能揭露自身的神秘人物。属于蕾莎的"著名"的荒淫与浪漫的失败慢慢吸引了苏珊。她那虚张声势的姿态，就如一席恶俗的羽毛，而羽毛下的实体过于优雅、脆弱，不容裸露人前。而苏珊呢，每当一段恋情崩塌，病态的她就会和一个四眼室友窝在一起好几个小时，喝茶、吃吐司。她情不自禁地钦佩起蕾莎来，她能在镇子上将最窘迫的处境说成一出歌舞喜剧。那的确是庸俗，但其中故作勇敢的意味，却让苏珊莫名地伤感。（事实上，她后来发现蕾莎真的非常脆弱，常常在她还来不及开口的时候，这个或者那个男孩便会抢先公开了恋情，她对这种恶心的场景很抵触，她歇斯底里的絮叨实则是一种自卫的方式。）

她心中迅速增长的兴致终于在蕾莎怀孕的时候获得了表达的机会——这是第三次了，阿历克斯说。当阿历克斯和苏珊前去探病的时候，躺在床上的她正好染上了风寒，同时还有早孕的反应。她穿着一件旧的蓝色平绒长袍坐在蓬乱的病床上，身边堆着一些时尚杂志和汽水罐头，她的褐色双眼警觉却生机勃勃。苏珊坐到了床边："我听说你病了。我想我该来看看你的情况。"

她们聊起了皮手套、高跟鞋以及她们最爱的作家。这是苏珊第一次真正地听到蕾莎的声音——灵敏低沉的嗓音显然是受到了五十年代某类青少年艳星的影响，后来被六十年代的鸡窝头歌手继承，而唯有在蕾莎的身上它有了智慧的一面，它不再显得讽刺而具有一种莫名其妙的平静和安慰，仿佛蜂蜜；她是过来人，她明白坐下来喝点东西谈谈天的重要性——这点对如今的二十一岁大学生来讲简直就是荒谬的矫揉造作。苏珊发现，自己与这位姑娘谈论的内容都会显得很重要。看起来蕾莎也有了相似的感觉。这就验证了蕾莎后来所说的，那一刻她们坠入了爱河。

蕾莎第三次怀孕后，她们开始交往。每周六例行在拨号音咖啡馆里共进早午餐，这样她们既可以讨论前夜发生的事情，又可以咆哮咆哮前一周所有让她们着迷的事情。

"我狂热地关注着艾琳娜——她不过就是个笨蛋。真的。"蕾莎在讲述她出席过的某次聚会，其间，她最近的一位前男友与一位南美人一起消失去了卧室，"他感觉她极具异国风情，因为她二十六岁了，她结过婚，她来自南美，但是在我看来她一无是处。她消极、沉默，整体来看都不起眼。可能他觉得就因为她读法律所以她会为他做许多事情，而我仍旧没有目标。但是我知道只要我弄清楚自己想要的是什么，我也会和她一样兴致勃勃……我不知道。"她捡起餐叉，又放下，拉了一把脑后的头发，双手抱住裹在紧身衣里的肩膀，每当她不安了，她就会是这副样子。

苏珊真的还记得自己的回答："我对于听见'目标'和'职业'真的又恶心又厌倦，我想尖叫了。"

"可你还是想获得一份工作的，难道不是吗？"

"对。退学后，我想过去甜甜圈店工作。我想变胖，或者沉迷于海洛因。我想变得一团糟。"

"为什么？噢，你开玩笑吧。但是我懂你的意思。我也同样反感那些思想保守的职业人员。我感觉自己像个傻瓜了……好吧，是一个愚蠢的荡妇。我想凭借我的天赋干出点成就，我知道我有天赋。"

苏珊吃着吐司看着她，目光里几乎是贪婪和得意，她爱她。她爱她细小的手指，她炙热的脸，她耀眼的神经能量，她可悲的、关于自己有天赋的宣言。她说话时的那份老套古板如同你能想到的最娘们的娘们，这却增加了她的吸引力。苏珊无法解释这么违反常理的爱，但它确实存在。可能是这份爱太过强烈了，因为她在大学里没有别的女性朋友。她大多数的情感元气都耗在了男人身上——她的罗曼史比蕾莎少一些，不过却花了两倍的时间事后纠结。可能对于另一个女人，她能应付的只是那种卡通女孩式的极端和外露。可能这就是蕾莎选择做一个卡通女孩的原因吧，想着想着她都伤感了。

奇妙的是，蕾莎也很爱苏珊，至少最初是爱的，当她也以某种夸大的卡通形象为蕾莎所知时。苏珊惊讶地得知多月来自己都被视作为嫉妒和猜度的对象，这位端庄、自足、（对蕾莎来说）安静得异乎寻常的女孩让蕾莎陷入了沉沉的迷惑里。此外，苏珊在安阿伯的名声全拜她们共同的男朋友所赐。"她和她的外表差远了，"他会告诉任何一个听者，"她的怪癖真叫人恐惧。"跟着他就会慷慨地作出详细描述了，而且总能巧妙地隐去他自身的变态。

"你让我想到了黑色的高跟鞋，"蕾莎说过，"我过去总是把你描绘成浑身黑色外加一条弹力裤和一双尖根鞋。"

"噢，战友。"苏珊说。她受宠若惊。

苏珊现居的公寓实属一位名叫鲍比的旧相识所有，他这个月去了欧洲，又不愿劳心把房子转租给他人这么短的时间。房子位于曼哈顿的东区，距离她曾经长期的住所只有几个街区远。这儿比她先前的公寓大得多，也明亮得多。

她在芝加哥的公寓甚至大过了鲍比家。那里有高高的天花板和巨大的窗户，装配了时尚的软色调无脚家具。钟点工每周一次前来清扫房间。她有颜色匹配的华丽的厨房配件。她记得蕾莎曾经拜访过她位于曼哈顿的小工作室，她嘲笑过她，她怀疑四个月以后苏珊全部的餐具仍旧是两把叉子、一把刀和一只勺子。

她走进鲍比的卧室，站在长镜子跟前注视自己，一个丰满的女人正平静地踱入中年，一手叉腰，一手举杯。她从未想过自己也会变得这等丰满、平静。十年前，甚至是六年前，她从来没有变胖过，即使她吃得再多。突然降临的丰满让她新奇不已，她欣然接受，不像这个年龄的大多数女士那样抗拒。"你终于长成了你该有的真实……容貌，"她的母亲赞许地说道，"你不再是瘦弱的小孩了。"母亲的认可让她很高兴，但从某种程度上来看是她发现了其中的悲哀。这是一个女人终于得到解脱而说的话，她不再需要面对由她那异常消瘦的女儿带来的、关于青春和散漫的无理提醒。

她在纽约的生活越来越漂泊、越来越独立。大多数的日子，她仅仅只是现挣现吃，她干的都是一系列卑微的工作，她感觉自己变得绝缘、不可见，却出奇安全。她坐在地板上吃着晚饭，米饭、大豆，或者外送的中餐。她写稿写到每天早上七八点，然后睡上一整天。她去哈莱姆采访伏都教的开拓者。她去夜店和不打烊酒吧，她与蕾莎或者其他边缘女孩站在一个又一个场景的边缘。她走长长的夜路，尤其是在冬季，她喜欢聆听自己趋缓的脚步声、泥泞阻塞的城市噪声，裹得严严实实，拖着脚蹒跚回家的醉汉诧异地看着一名年轻女子在凌晨四点独自步行。属于这座城市冬天的荒凉与残忍让她既恐惧又着迷。令她惊奇的是，截然不同的存在阶层竟如此紧密地累叠在一起，而拾荒者和不合群者的绝望残存挤入了不适的气流里，他们在阶层的空隙中爬行。她在这座城市的第一年里没有给过任何一个乞讨者零钱。最后也只有当别人乞讨时，而她手边碰巧有零钱时她才会掏钱。

　　那段时间里她与男人的关系让她意乱神迷。她与蕾莎一次次地谈话，苦苦地思索为何自己总是摊到这么糟糕的男人。她能记得的所有人都是尴尬的污迹：漂亮精致的吸毒者，受虐狂倾向的中国男孩，自命不凡的意大利记者，已婚教授，浮夸的法律系学生，濒临疯狂的酒吧老板有天晚上差点用皮带勒死她。这家伙是她在东区某家小酒吧的休息室里认识并且与之性交的，他后来将她卷进了他与意大利女友的三角恋中。蕾莎激烈（苏珊认为还有些呆滞）地否决了这事。真够奇怪的，在苏珊轻蔑地将任何她可以安心得手的"非常规"贴上了"常规"

和"老土"的标签、并从中逃离了之后，蕾莎却突然变脸，并摆出一副恼怒的样子，把她的这种波西米亚做派等同于"自命不凡"和"虚伪"。苏珊没有回应，蕾莎说了这样的话："当你和那个自我毁灭的幼稚垃圾混在一起时，可怕的痛苦就缠上了你。"

糟糕的是，蕾莎现在看不到她了，而她有了稳定的工作，匹配的家居用品，善良温柔的男友。另外，令她恼火的是，听说蕾莎以她当前的生活表象对她进行一番痛快的总结（"苏珊变得那么安定，真好"），接着便要讨喜地比较一下曾经的苏珊。苏珊站在镜子前审视自己纹理清晰的脸。过去的六年让她改变了太多，她认为多数的变化都是有益的。不过她仍旧，无论是好是坏，还是同一个女子，醉醺醺地待在低俗的酒吧里，在臭气熏天的厕所与陌生人做爱，然后冲出去钻进一辆出租车里，微笑着将她的电话号码压进男子的手里。

她叹着气走进了"休息区"，她靠上了一面砖瓦墙，脸对着一扇未拉上帘幕的窗户。看来似乎她与蕾莎的友情从未达到过如今被她称之为友情的高度，它却是一种复杂的系统，用以确认和支持她们种种的自我幻想，这些曾经的幻想相互催生、相互支撑。苏珊确认她对蕾莎的早期迷恋是为了取代她们共同睡过的前男友的性的关联。她没有幻想过蕾莎与这个男人在一起的情景，但是她怪异地满足于曾间接地经历他与这位公鸭嗓音坏女孩之间的纠结，并可以将此反馈给她，仿佛自己渐渐地成为故事中的另一个角色，以至于在很大程度上推动了这出戏剧。蕾莎也做了同样的事情，她无疑在享受两边的联结，一边是她们的情人，一边是他描绘给她听的所谓神秘、反抗与堕落的女郎，这位俗不可耐却销魂夺魄的黄色杂志封面女郎，同样也是她那位可靠的朋友苏珊。在她们友情之花盛开的头一年里，她们讨论他、描述他，或赞成或反对，包括这金发碧眼的小子、他凸起、奇怪得暴露在外的阴茎，她们甚是愉快地发现，两人说话与傻笑的见解夹在一起已经弄得他身心疲惫。

那天晚上，她与老朋友芭芭拉一起吃晚餐。她们去了巴勒克大街的一家餐馆，那里提供优雅的小食和你能猜得到的舒缓音乐。芭芭拉是一位珠宝商，尽管她始终不算行业里的巨头，但她的产品却持久地出现在时尚杂志和百货公司里。她最近刚与结婚了十二年的丈夫分开，苏珊认识那位雕刻家丈夫。芭芭拉看上去并没有因这分离而太过难过或震惊。

"我不能说我们是突然之间变得陌生的，或者类似的情况，因为我真的太了解约翰了。甚至也不是我们不再相爱，因为我的确爱约翰，就这点来看我的爱更像是出自一个姐姐对弟弟的爱。人们都说这便是结婚以后的趋势。"她把鲑鱼肉排切成小块小块，她的动作文雅从容，好像是静止在了艺术或电影的讨论里。

"好吧，那么你认为它是什么呢？"苏珊说。

芭芭拉松了口气："我不知道该用什么话语来形容。就好像用于支撑这段关系的东西，都只是来自外部。所有迹象表明，我们是非常成功的一对，约翰之于我是非常理想的丈夫——富有、金发、高大、敏感、令人作呕。但糟糕的是，似乎我们最私密的对话都是基于那些我们认为必须说的话或者做的事情。我们之间似乎没有直接必然的联系。你明白我的意思吗？我听起来像个嬉皮士，我知道。"

"不，我懂你的意思。"

"我不懂。那时候我并不是这么看的。他让我疯狂，我猜我也让他疯狂了。"

"我一点都不明白，一段关系竟然可以基于外部的事物，"苏珊说，"斯蒂夫和我完全以我们自身为基准，很真实也很甜蜜，但是有时候似乎我们会被卷进一种与这个真实世界无关的幻象里。可能没有什么不好，我不知道，但是它却能迈向唯我论。"她记得十五岁那年与父亲的某一次争论，父亲告诉她："你想吸干人类，你想取走他们的内脏，然后把你的内脏送给他们，反反复复直到你懂事为止，但是这个办法不起效。关系是建立在'你好，最近怎么样？'和'我很好'之上的。"父亲最后的话语就像木桩穿心。

"你记得蕾莎吗？"

"当然记得。男朋友是音乐家的那个疯姑娘吧。她怎么了？"

"我今天还以为在街上遇见她了。有个拾荒女和她很像。"

"噢，上帝。"

"当我走近时才发现不是。"

"你干了什么？"

"给了她五美金。"

她躺在鲍比的榻榻米上想念斯蒂夫。他很安静，她认为这点是智慧。他在一家无人尊敬的杂志社的公关部门工作。他们几乎每晚见面，他们都有对方家里的钥匙。他们说着私密的笑话，各自都有几个俏皮的昵称。有时候，仿佛他们在用一种旁人不懂的外语交谈，仿佛他们的亲密包含了隐遁与放弃的意味。他们让对方很幸福。用杂志里的一句话来讲，这是一种"真实的联系"。她睁开了眼睛。"联系"是一个适用于人类的暧昧字眼。它是什么意思？她记起在遇见斯蒂夫之前曾交往过很短一阵子的男子。他很可爱，却很实际，从来不读书，外出甚少，似乎从未对什么事情太上心，除了他的一些密友和他迷恋得走火入魔的武术。他们毫无共同点。在大多数方面，他让她感觉很无聊。然而当她碰触到他的身体，她感觉到了他的反馈，她很少会在男人身上见过这种接受能力。她在他的怀抱里体会到了安全感和被保护，当然这点与他肌肉发达的躯壳无关。她想他们是以看不见却相当重要的形式滋养对方。然而，他们之间连一个共同话题都没有。

有时，她认为这是人与人之间唯一可能的关系——强烈，莫名，最终不能圆满。她与蕾莎的友情开始变质的几个月里，她会想，好吧，我不会和她说话，我不会尊重她，但是她的美貌却可能在无关智商的层面赢得赏识。这好似一位平凡的舞者突然爆发出的具有冲击力的动作，或者就是一只动物的优雅和志气。

她记得她们在圣马可广场一起做的表演课练习。一个人说话，另一个人要重复，并且加上一些语言或者表情上的变化。苏珊觉得这毫无意义，但是蕾莎很狂热。

"我喜欢走在街上注视人们。"蕾莎先开口。

"你喜欢走在街上注视人们。"

"当我走在街上的时候，人们看着我。"

"你喜欢人们注视你。"

"你喜欢人们注视你。"

"可你喜欢？"

"我很紧张，我用力地拉耳环。"

"我讨厌拉耳环。"

"我想抚摸你的耳环。"

"你想抚摸我的耳环。"

这像是童谣。她们两个可爱的小女孩，走在街上吐着无害的废话，周围世界就是她们的全部素材。无助的小贩将可怜的商品排列在脏兮兮的毯子上——T恤、褴褛的毛衣、乙烯带、捆绑的过期杂志、泛黄的书籍和唱片。垃圾在街上飞舞，人们在人行道上来回走动，他们用整齐非凡的姿势诠释成百上千的动作。阳光、绅士、温暖和怡人，似乎这就是所有人的生活里都期待的。苏珊替蕾莎感到了一丝琐碎微小的疼痛，她冲动地伸手抚摸了自己四连串的耳环，就像爱抚小猫一样。

她在纽约的第二年，她们的交流似乎变得疯狂，似乎就是在尝试着折磨对方，谁都不支持谁。蕾莎开始同一名满口脏话的摇滚乐手恋爱。她打电话给苏珊，似乎也只有当她和他吵架后她才会去公用电话亭歇斯底里。当他为了一个歌手扔下她后，蕾莎去了贝尔维尤，她被抛弃了，她割了腕，她回到密歇根的家中，她在接下来苏珊知道的那些日子里恒久地维持着一种准臆病的状态。她立马就搬回被歌手抛弃的乐手那里。她的密歇根朋友抛下了她，他们认为是她的放纵与做作使得他们无法相处了。苏珊不知道这话是真是假，但至少很不厚道。她想延续对蕾莎的忠诚，可她陷入了彻底的自我挣扎，她们说话的时候似乎就是紧紧依附对方来求生的溺水者。

乐手第一次出走，蕾莎在早晨五点给她打了电话，抽泣着恳求她能过去。苏珊跳下床，招了辆出租车驶向了第八大道，幽灵般的男男女女翻倒路边的垃圾箱，仔细地检查里面的东西。她坐上了蕾莎皱得堂而皇之的颗粒床，她紧紧抱她入怀，好像她手臂的压力应该要等同于蕾莎发抖的强度。"我觉得空虚。苏珊，我的内心堕落而空虚。"苏珊亲吻了她的额头，抓抓她的头发，抱着她直到手开始疼，可是她却不知道该说什么。最终，蕾莎的颤抖渐渐平息，然后就睡着了，苏珊依然坐着，她观察着丑陋的肥鸽子围绕在邻居家的脏窗沿上，蕾莎的皮肤慢慢地贴上了她，四肢渐渐麻木。蕾莎为什么感觉空虚？空虚是指什么？什么本该存在于蕾莎身上但却没能如愿？那是一种别人也有的特性吗？她试着想象蕾莎的内心世界，她描绘了一组暗色的电线，一些已死亡，其他的短了路，火星还在黑暗里闪烁，大量的热量排放出来，明亮的色彩在狂野地闪烁，火星吹向保险丝，然后死亡。

电话越来越多，苏珊开始厌恶，尤其是每当苏珊得和别人说话却无法回复蕾莎的电话时。蕾莎似乎难过到了极点，整天除了跟乐手作对，什么都做不了，但是她喜欢让苏珊成为目击者。苏珊感觉自己就是一个配件，尤其是某一次蕾莎邀她赴宴，这个宴会以蕾莎和乐手互掷面团决一雌雄收尾，而一位身材丰满的鼓手还曾徒劳地试图分开他们，最后他又一次为了歌手扔下了她，蕾莎开始与别人约会。有时候他们三人会一同外出，但夜里总是一成不变，蕾莎醉倒在电话亭里，她对着乐手的电话答录机大呼小叫，而她的新男友则默默地发呆。

真正伤感情的是，正当苏珊准备告诉蕾莎自己感觉被利用了，蕾莎却说她感觉苏珊只在自己低落的时候才会给她打电话。苏珊又是大吃一惊又是义愤填膺，蕾莎说了原因后苏珊也产生了同感。她们几乎有一年不与对方说话。显然在这段时间里蕾莎终于摆脱掉了那位音乐家，开始与律师约会起来。

友谊重燃于她们在街上的一次偶遇，她们发现彼此之间的话止不住了。她们开始一同吃午饭。蕾莎扮了个鬼脸，耸耸肩膀，在她谈起她的表演时频频地说："我不知道。"她说她想要一个孩子。当她们踏上第八大街时，她会说："噢，你难道不痛恨这些竖着一头千篇一律的绿毛的人吗？"

"不。"苏珊说。

"可这早已过时了，我是说，他们不能做点别的事吗？"

"我想十几岁的孩子需要这些。"

苏珊极力克制自己，好不指出仅仅一年前蕾莎的头发也是垂直向上的，不过好在很快她们就争论别的话题了。

"我们得谈谈。"苏珊说，她们在卡布奇诺餐厅会面，这个餐厅不惜一切代价地用恶心的雕塑和大枝形烛台来装潢。

"你让我筋疲力尽了，"蕾莎说，"每一次我在你身边我就觉得你紧抓着我不肯放，这是你所希望的，但我不知道这是为了什么，我忍无可忍了。"

"我不知道你在说什么。我只想从你身上得到友情而已。如果你觉得累了，那么我也无话可说。"

"也许其中一些原因不足为奇，似乎你比以前更加积极了，可我依然能体会曾经那些电话里的感触，当我拿起听筒，你说你感觉自己快要死了。"

"等一等。难道你不记得你曾在早上六点给我打电话，你叫我一定要立马赶到，否则你就自杀？"

"你过去常常说，你不明白为何人类能够忍受存活。任何一个人。"

"哦，天哪，我太笨了。是谁第一个打开那些消极的话题的，蕾莎？是你，就在——"她本打算说"你去了贝尔维尤以后"，但是她没说。

"我没有说你错了，你也别想全赖我，因为错不在我。就是有种莫名其妙的力场开始出现在我们之间。我们变成了哭哭啼啼的姐妹，我也不知道这是怎么了。我不知道我们发生了什么，苏珊。在安阿伯的时候从未如此。"蕾莎的圆眼睛里充盈着晦涩的情绪。

"我不介意给予你支持，"苏珊说，"但总是这样，总是埃迪和你。

我说什么并不重要，反正你从来不会听从我的。要是你不想谈埃迪，那么你也不会给我打电话的。你甚至不会回复我的电话。你甚至让埃迪告诉我你不在家，而你明明却在家。这是他告诉我的。"

"哦，苏珊，我病了，你不明白吗？我割了腕，还记得吗？我是一个病人，卑微的狗屎。"她的声音颤巍巍，苏珊听出了那是眼泪的前奏。

"你不是卑微的狗屎。"苏珊喃喃自语。

"不管怎么说，我感觉你在报复我。"

"什么？"

"我们谈论的从来就都是你。你对我和乔纳森的关系或者我的婚礼或者我的心理治疗毫无兴趣。那些才是我的生活。我费了很大的周折才恢复健康，守护爱情以及结婚。"她的喉咙里慢慢发出战栗的尖叫，眼泪落了下来，她的脸微微地褶起，她用纸巾一点一点地按下去。

苏珊对着一杯冷却的洋甘菊皱起了眉头。她无法逼自己说出她瞧不起乔纳森之类的话，她觉得他们的关系就是场闹剧，她痛恨传统婚礼，她认为对蕾莎来说，心理治疗与埃迪的用途是一样的——使她逃避自己的真正生活。一曲古典乐突然响彻整个屋子，震响得都能掀翻一张桌子了，它挑衅地抚慰油煎酥卷和可爱蛋糕的食客们。

"你成天谈论史蒂夫的样子——"

史蒂夫是苏珊在公共厕所里遇上的。"我可没有成天谈论史蒂夫。"

"可感觉你就是在整天说他。你的话太可怕了，即使你只说了一点，但是也够多了。"

我们竟然可以假装朋友那么久，苏珊心想。

"特别是当你谈到他和那个意大利女孩时，你从中受的伤太多了。你难道看不出他们是在利用你吗？"

"他们没有利用我。"苏珊坚定地说。

"哦，不，那么那次在艾瑞尔的一个浴室还是别的什么该死的地方，他们试图开枪杀你呢？"

"他们没有杀我。"

"他们想杀你。"

"显然没有那么严重。总之，他们有没有利用我并不要紧，我不介意。因为我心甘情愿，所以我才会为他们做事。我可以照顾好自己，我没有打算让你来分担。"

"可是当你把这些故事当成乳头穿孔一样告诉我，那感觉就像是你要把我也拉扯进去。你为什么非得将自己拖入一个必须小心翼翼的位置呢？"

她们注视着对方，眼神里的苦楚似乎越来越接近痛恨。一种阴森感爬上了苏珊的喉咙。她开始冒冷汗。

蕾莎不慌不忙地说："我想你和他们混在一起是因为你没有其他事

情可做了。我觉得你认为那样很有趣。"落下的最后一个词语足够讽刺了。"但这一点都没意思。污秽，倒尽胃口。"她的鼻孔渐渐扩大。

"你算什么？"苏珊说，"你敢这么说我？"

苏珊睁开了双眼，仔细地打量起鲍比衣帽架的大致轮廓，上面挂了一顶饰有羽毛的帽子。再次回忆起来时，她不得不承认她的愤怒是源自蕾莎最后的真实谴责。但那时史蒂夫和安娜确实让她感觉有趣；可无论如何，她又怎么敢那样说呢？

苏珊在床上翻了个身。她们的幻想变了，她们对"道具"的审美有了分歧，没有人再会去满足对方的需求。既然她们心中的想法已经不重要，她们分道扬镳。苏珊结束了人生的一个章节，毫无疑问蕾莎也是同样，兴许她会将她们的友情看做是一种恶劣与错觉的象征。就在她们争论完毕的一个星期以后，蕾莎寄给了苏珊一张镌印的婚礼邀请函。（"婚礼期盼您的赏脸……"）苏珊对着空空如也的公寓叫了声"多美啊"，然后速速撕碎了邀请卡。

苏珊又翻了个身。她仍然希望知道蕾莎的下落。她很想和她说说话。她记得某年夏天她们一起去跳舞。她们在一个炎热潮湿的地方跳了很久，跳到最后她们瘫倒在各自的怀里，蕾莎的胸很小，还出了汗，怦怦直跳的它压上了苏珊的胸。她记得这份最真实可触的感觉，她们是尤物，精致却不可见的触角在她们之中挥动，怜爱与温暖在彼此间传递。

她坐起来，打开床头灯。她可以感受到蕾莎的存在。可能会有一些在曼哈顿的朋友知道她的去向。她想了一分钟，终于记起蕾莎最后两位朋友的名字。她查了查电话簿后得知其中一位已经不在城里，而另一位则未列入册。她打去了蕾莎曾工作过的饭馆，饭馆还在营业，但是没有人记得她了。唯一的可能性就是她们共同交往过的男人，好不容易苏珊才打听到他——在纽约，可他们已经很多年没有联系了，现在刚过凌晨两点。她不得不在屋子里踱上个十五分钟，然后才有勇气去打电话。最终他拿起了听筒，他惊讶得都忘了发火，直到她问起他是否知晓蕾莎的去向。

"我真的不知道。我听说他们几年前就搬去了洛杉矶，但可能是个谣言。你凌晨两点半打电话过来就是为了问蕾莎？"

她不乐意地摔下电话，她怠慢了他更激怒了他。她又开始踱步，随后端坐在卧室里默默地发呆。她记起曾经读到过的一个故事，主角是一位老女人，她渴望与她再也没有见过的男孩重逢，很偶然地，她在午夜电视节目里找到了慰藉，其中一个演员简直就是她梦中情人的老年翻版。毕竟，蕾莎在某个阶段也很想成为一名演员。苏珊找到了电视摇控器，打开了电视机。没有一个频道在放《糊涂侦探》、《爱鲍勃》或者日本恐怖片。最后切换的频道正在播放意大利的老片，讲述一场国际间谍活动的揭露，片中朦胧变态的性欲之花燃起了她几分钟的兴趣。而其实就是一位无知多情的女子扮演了一名聪明的荡妇。如果蕾莎真成为了演员，她很可能会获得这样的角色，但是苏珊对她是否能胜任持有怀疑的态度。

她关了电视机。电视使得她对蕾莎的能力产生了甚低的评价，但这并不代表是轻蔑。蕾莎仅仅只是打算去想，并没有去做。但是傲慢却让蕾莎的能力像刚才一样被否决了。说到底，六年前认识苏珊的人当中，没有一个能猜到她会有今日的光景，这让一些人傻了眼。

她把头靠向沙发，合上了双眼。她幻想蕾莎是一部科幻电影的女主角。她扮演一位有点小残疾的皇后。她看见她扮演一位母亲，身穿蓝白格衬衫，她正蹲在地板上和孩子玩游戏。她看见她作为一名过气的歌手出现在酒吧里，她化了耀眼的银黑色眼妆，她对每个听众抱怨她最近的情事。她看见她成了拾荒女子。这幅影像渐渐飞离，她看见她站在一片空地，穿着过去常穿的紧身裤，这位凭空想象的女孩似笑非笑，片刻间，她强烈的内心写照哑然无声。她看着这位女孩，她意识到了她们之间出现过的虚伪和愚蠢，她曾经关心过她，也得到过她回报的关心。她想和她说话，明天她还会继续尝试。她坐在卧室想了将近一小时，她会和她说些什么，蕾莎会怎么回答呢。

黛西的情人节礼物

浪漫周末

美妙不已

篡改之恋

联系

斯蒂芬妮的尝试

秘书

额外之因

天堂

斯蒂芬妮其实并不算"职业小姐"。她只是悄悄地接客，大约一年就一回吧，就在她对行政工作感到厌恶之时，或者适逢她无法付清账单之际。可以说她的确是挺欣赏自己的几位客人，但她从未想过要与其中的哪一位约会。她利索地将自己涉足卖淫的秘密装箱，远远地躲开现实生活。因而她有些不快地发现，自己穿着高跟鞋和内衣站在"小黑屋"那面污迹斑斑的镜子前，正将电话号码递给伯纳德律师。她深感自己已卷入原本与自身无关的深渊里，但是她没有男朋友，她是喜欢那名律师，可既然他结了婚，那么似乎他将留给她的印象也只会是朦胧一片。

她遇见他的那天，她在当前的"房子"里已经工作了三个夜晚。这里不如之前两个工作场所来得奢华昂贵，但好在很舒适很安全。她没有想过要回到第一个地方，这得归咎于那位总管的怪癖，他每天都要嗅闻女孩们的气味，让她们在厨房里对着傅过油的蜡烛吟唱，以此来"净化空间"。她也不可能回到第二个地方，因为那儿被黑手党控制了。她并不具备充分的社会关系与认知去寻找最好的公司，所以她才会安置于此——一栋破败的联排公寓，配备的是劣质的通风系统，伤感和腐朽的气味盘旋在屋子里。女经营者将此处命名为"克里斯汀之家"，这是一位有点狂躁的金发暴君，她相当迫切地想把丑陋的涡纹起居室弄成一家沙龙，逼迫着女人与嫖客进行冗长折磨的对话，然后才允许他们上楼。"我们得名于我们的智慧女性，"她在面试斯蒂芬妮时这么说道，"这里的每个人都大有来头。阿拉娜是艺术家，苏西是时装设计师，碧翠丝是护士。"沙发上的三名女子毫无表情地凝视斯蒂芬妮。克里斯汀给斯蒂芬妮取了一个工作名，"佩芮"，并叮嘱她穿一些合适的衣服，以应付"和母亲一起吃午饭，接着约上男朋友去喝点鸡尾酒"。这些荒谬的掩饰可悲地披上了"理想"的外衣，这引起了斯蒂芬尼的好感。她想：只是几个星期而已。两天以后，她以银色紧身超短裙登场。

对讲机在召唤她去"见客"，她便匆匆地下了楼，蓬头垢面，穿着一只长袜邋遢地狂奔过去，留下那位怒冲冲的肥客人独自洗浴。她站在了新顾客的跟前，感觉黑色短裙下的膝盖有点内弯，不知为何，她疯疯癫癫地笑了，她想到了情景喜剧《我爱露西》。剧中的笑声在她脑中响起时，克里斯汀叉着手问道："嗯，伯纳德，你想见见佩芮吗？"

这位男士起身说："是的，非常想。"他约莫四十五岁，又高又瘦，保守的西装上别着一个可笑的蝶形领结。他有和善的眼神和机灵好问的举止。她感觉自己的某些方面由衷地激起他的情欲，她受宠若惊。

他跟随她走进骇人的酒红色"小黑屋"。他褪去衣服躺上床，他的躯干倚在一只枕头上，苗条的裸体不动声色地观望，惊人之大的阴茎半硬地卧在大腿上。她脱掉高跟鞋，跪在他的床边。他没有碰她，甚至都没有靠近一点，他仅仅只是躺着仰视她，似乎是在等候取悦。旧空调的水滴哀号似的下落。

"我喜欢你的头发，"他说，"这是潮流的趋势。"

她有意识地拨乱自己染黑的刺猬平头。"噢，它已经流行了。很多女人都剪了这个发型。"

"对，我知道。但是这尤其适合你。"

她说了声谢谢一把将衬衫拉过头顶。

他显然是一脸赞许地瞥了一眼她的胸部，不过仍旧没有朝她动过一下。

她安慰性地断定他是深陷在对话里头的健谈家。

很快她就得知他供职于下东区的城市重建地，虽然他很喜欢他的妻子，但却不爱她，他们极少做爱。他们住在一起只是因为他不愿孤单一人。

"那么你呢？除了这里，你还做些什么？"

她扮了个鬼脸。"好吧，我自己都搞不清楚到底在做什么。我努力想成为一名作家。这就是我来纽约的原因。"她顿了顿，她怀疑这话对于西装革履前来光顾妓女的他来说是不是太可笑了，"你觉得很愚蠢吧？"

"没有，哪儿的话。为什么我要觉得这愚蠢？"

"因为太多待在这种地方的女孩子都渴望能在别处有所作为，不过显然大多人并没有天赋或是过于懦弱，我不知道，对我而言看来是稍稍有点可悲罢了。我甚至从没向这里的客人说过我的职业。我就说我是秘书或牙医、技术员之类的。"

"这可真傻。碰巧的是，我知道这儿有过一些才能出众的人。曾一度诞生过艺术家的小圈子。有一位视觉表演艺术家，她飞去意大利工作了，噢，她的工作拍档是一位先锋舞蹈家——我知道名字但想不起来了。总之，我听闻她在事业上很成功。"

"你怎么会知道？"

"我是她的常客，我们通常在外边碰头。她留着和你相同的发型，不过她染了橙色。"他笑了，仿佛这透露了一种揭示性的因素，就是这因素在斯蒂芬妮与橙发女孩之间建立了牢固的关系，"事实上，她是在利用这个地方来为工作收集资料。她聪明绝顶，她非常清楚这里所体现出的一切矛盾。"他绅士地一笑，"她谈起这些就没完没了了。"

她脱掉裙子，一只手肘支撑身体躺在他的身边。他们谈论《纽约客》和《大西洋》上的小说。她控诉她所鄙视的一些新潮作家。他们谈论看过的舞蹈表演。他描述了舞蹈剧院研修会的一幕，舞者们相互挥动起泡沫塑料制成的动物，然后又滚入了油漆里。她想这听起来挺白痴的，但他竟在如此呆瓜的场景里还能欣喜地持有强烈的求知欲，这让她感受到了一丝温情。

"我是一个研修会的成员，时不时会被邀请去参加一些精彩绝伦的派对，在那里，所有的男孩子都是长大衣和耳环，所有的女孩都剃成你这种发型。"他笑了。

她想：照这样下去，我什么事情都不必做了。

他们聊起了她的曾经，冷血无情的父亲，悲观消极的母亲，染上臆想症的姐姐，她大学的专业，她的初恋。他沉重地倾听这一切。他开始轻抚起她的臂毛，然后是她的手臂。

他有一种极具诱惑的攻势。她靠得更近了，他抱住了她。他对她的爱抚仿佛在尝试发掘她的最佳栖息地——与浪漫无关，这是一种温柔体贴，掺杂了一丝探索的意味。她并没有真正地兴奋起来，但她很舒服。她已经很久没有享受过这样的抚摸了。

她喃喃地道来："你的抚摸让我想起了我的母亲。"

"怎么说？"

"她的抚摸很诱人。我并不喜欢她，可每当她开始碰我，我就会突然完全丢掉防备。这点很恐怖。"

这点倒是很合他胃口。"真美。"他说。

对讲机嗡嗡响起，他们被告知还有十分钟。她迅速地"伺候他"，接着他们起身穿衣服。她一脚伸进了高跟鞋内，亢奋地扯开床单下了床。他拉上裤子，额外递了二十美元给她，他说这是一段轻松时光。她同意了，真的，她也是这种感受，她把床单揉成一团丢进熏黑的桶篓里。她送他下了楼，她的紧身裙让她很不自在，膝盖都凸显出来了。当她走入三位"潜在恋人"那审视、捉摸不定的目光中时，她感觉到他阴沉地潜随在她身后。

"佩芮过来。"克里斯汀的叫声响亮。

"嗨。"她边说边点点头。她转向伯纳德，翻了个白眼把他送到了门口，她明白他会享受她这样公开地表现对他们的蔑视。

"回头见。"他说。他拥她入怀，她体验到的舒适与安全感让她迷失了方向，以至于当她返回到未来恋人的目光侵袭时，几乎将情欲暴露无遗。她站在他们面前，喜剧中的笑声又一次响起。

那一晚，她前往索和区，参观了在一家小画廊里举办的群展，其中还包括她朋友桑德拉的作品。她照例是那个场合里极少数的外行之一。桑德拉呢，亮蓝色的无边小帽与黑色天鹅绒长裙衬托出了她的时髦，既不落俗套又小心翼翼，她介绍说她是"我的朋友斯蒂芬妮，就是《乡村之声》的作者"。这点让人印象可深刻了，即使后来斯蒂芬妮声称："我只为《乡村之声》写过一回罢了，那也是一年半之前的事情了。"

"对，但你一看就像是《之声》的作者。"一位画家说道。

"这既不是辱骂，也不是恭维。"他脱口大笑起来。

斯蒂芬妮加入了另一拨谈话，话题围绕着一场她闻所未闻的尴尬的艺术展，随着参与者们疾速的转变，这番讨论逐渐演变成了一场《时代》上某人对此的评论与《之声》上某人的评论的对抗。桑德拉蹿来蹿去，带着毫不遮掩的满足与热情忽进忽出于各种交谈里。"这里空无一人。"终于她在小吃拼盘旁发出了一阵嘘声，尽管此时还有很多人在场。

斯蒂芬妮游荡在一个又一个的对话里，尽管这个屋子里满是精彩风趣的人物，然而她却滋生出了一种惊慌失措，这种场景乍看之下的确充满友好与惬意，可是她却被精彩与风趣的一面拒之门外。她试图为之寻找出缘由，围绕在身边的谈话或是公开或是私密，这完全遵循某种微妙但明确的规则，可没有人告诉她那是什么，她无法驾驭这一层感知。然后她遇上了达拉，桑德拉的又一位非艺术圈的朋友，她如女王一般独自站着。达拉正尝试着做一名时装设计师，那晚的一袭抹胸绸缎裙衬托出了她异乎寻常的美丽，裙子的中间部分明显退了色，兴许是很久以前有人在上面泼了什么吧。斯蒂芬妮一贯很欣赏达拉，尽管她一点都不友善，还曾在电话里对斯蒂芬妮骂过粗口。但看得出来达拉对于她的出现表现得很高兴，她们紧拽这极度无趣的聊天不放，笨拙地从桑德拉的作品扯到桑德拉丈夫的工作，话题又从斯蒂芬妮喜爱的一位作家转换到一部电影。尽管如此，斯蒂芬妮依然认为达拉非常有意思。她说："你似乎就是精通世间一切的人。"

达拉的眼中闪过了一丝惊讶，她沮丧地瞥了斯蒂芬妮一眼。"事实并非如此，"她简略地说，"我怀疑你其实比我精通。"

她们默默无语地站在原地，斯蒂芬妮的沉默代表着心灰意冷。她本想凭借那所谓一针见血的言辞博得达拉的共鸣。然而，她却暴露了自己活在梦境里的真相。这是常有的事儿。

次日回到克里斯汀之家，她感觉自己成了梦境中的人物，尤其像《花花公子》里一幅梦境的漫画，在那个世界里居住着一群美貌无脑的妓女，她们身穿粉色睡袍，和几只小白猫一起慵懒地倚在沙发垫上，而西装革履的高大男子向着她们面带微笑。这是一种出奇惬意的感官刺激。漫长的午后时光里，女人们蹬掉高跟鞋，跷起双脚悠闲地躺在沙发上看电视，同时从潮湿的外卖盒里夹起重盐的炸薯条塞进嘴里。

斯蒂芬妮正在与灵敏的长发齐腰的中国女孩布雷特聊天。自打十七岁开始，布雷特从事这个"行业"已达十年之久，她说她准备离职了。她口中一个又一个的故事，都在讲述客人们是如何利用她、羞辱她，用各种变态的方式强行侵犯她。"太可怕了。"这句话被她用来总结了一回可憎至极的往事。"似乎他就要完事了，可我却不得不聆听他的唠叨，你明白吗？"她俯下身子抓了一把薯条，往嘴里丢了几根，若有所思地咀嚼起来，"几年前，我还有大把精力能去击溃他们。但现在越来越困难了，我都不知道自己还能支撑多久。我想做点别的事情了。我厌了。"

另一位女士开始控诉男人们已经做过或是企图要做的恶事，还有她们的反击和报复。一股强韧的捍卫自豪感在屋内升起，斯蒂芬妮感觉既遥远又身处其中。她想着这股自豪对于某些人来讲会有多么可悲，比如说桑德拉，她曾假惺惺地将自己短暂的鸡尾酒女服务员经历形容为"像个娼妓"。

蜂鸣器响了，律师伯纳德双手插在口袋里出现了，这位久经世故的家伙怀揣着温和的消遣精神，正饰演一名临时商人的角色，准备在一名卑微的女子身上寻欢作乐。斯蒂芬妮冲他笑笑，重新又陷进了沙发，似乎她成了一名玩弄廉价货的老练女子。他们很快就回到了"小黑屋"。

"你记得《花花公子》上的漫画吗？"他们没有任何动静地躺在床上，她问道，"就是那幅有着相同容颜与身体的妓女们倚在靠垫上，身上穿着蕾丝睡衣？而男人们手捧鲜花与巧克力站在一边？"

"对，当然记得。"

"真滑稽，因为我十岁、十一岁的时候就常常看那些玩意儿——好吧，当时我的确不清楚妓女到底是什么，只因为《花花公子》所呈现在我面前的都是好东西。她们很美，她们只须端坐在靠垫上，男人们爱慕她们。所以我告诉母亲等我长大以后我要做一名妓女。"

"难以置信。"他笑了，仿佛这是一周以来他听到的最逗的事。

"她自然是被激怒了，我父母带我去看了精神病医生。"

"噢，天哪。"

"但是观察了几次之后，医生鉴定我为正常的。我是说，我有优异的成绩，我有朋友，我什么都有，所以我不必再去了。"她耸了耸肩膀，"我那可怜的姐姐可没那么幸运了。她十一岁的时候就得了臆想症。"

"是精神病医生弄错了吧？"

她哈哈大笑，然而心里却在说：他没弄错。我再正常不过了。

"所以那正是目前你在从事的。你在扮演一位妓女。"他轻轻地抚摸她的脸庞和秀发。

她吓了一跳，他的思维逻辑似乎与刚才楼下的她如出一辙。她想象他与他那位一根接一根抽烟的橙发表演艺术家在一起的情景，她几乎可以看到他喜爱这位受过教育的女人的模样，这个女人公然违抗社会，蓄意扮演了一个很可能被他贬低然后加以分析的角色。"老实说，我可没在表演。这是真实的生活。我并不打算将你给我的钱还回去。"

"你明白我的意思。"他一把将她拉近，伸出手轻轻地抓挠起她的脑袋。

"可即便在我孩提时代，我就已经在嫖客与妓女间的风流韵事里察觉到了一些问题。因为曾有一次，我十二岁左右吧，我在父亲的书房里帮他按摩头颈——我一直这么做的——书桌上方悬挂着一本《花花公子》的日历，上面有个漂亮女孩，于是我问他，'你喜欢她吗？'他说，'我当然喜欢，'我说，'你会去见她吗？'他看来是吃了一惊，他说，'不，她不过就是个哑巴妓女。'我甚为错愕。"

伯纳德的微笑几乎成了哈哈大笑："好吧，可你知道他是在骗你。他会非常乐意去和她幽会的。"

"这可不好笑。他的话把我给伤到了。我因为她而受伤。"

"不，我知道这不好笑。我很抱歉。"他躺到她的身上吻她，体贴地用手托起她的头。他们接吻互摸，然后分开，继续聊天。她把跟布雷特的谈话以及自己的感想告诉了他。她提起了昨夜的展览，从中省去了她那份恐惧的孤独感。她询问了他妻子的模样。

"她聪明且非常独立。她可比我擅长享受孤独。她以她的方式去冒险。去年她就只身一人去了南美，这并不是她这个年纪的女人敢去做的。"

"她多大了？"

"三十九。"

"职业呢？"

"她在高中教书，她很喜欢这份工作。我欣赏她，即使没有激情。我们的的确确是分房睡觉。"

"我可容忍不了这样的婚姻，"她说，"激情是需要的。"

"你太理想主义了。"

"你难道不是吗？"

"不，我不是。不管怎么说吧，婚姻对我来说并不等于激情。我们是彼此之间完美的伴侣。我并不希望孤单一人。"

他们安静了好一会儿，她缓缓地触摸他的耳垂。

"你为什么会来到这种地方？"她问。

"你怎么想的呢？"

"我真的不知道。任何来访的成熟男子在性方面能接受的尺度都远高于我。我敢打赌，只要你想你就可以去风流快活。总而言之，你似乎并不怎么在意性的一方面。那么你来是为了什么呢？"

"为了邂逅一些从未出现在我日常生活中的迷人尤物。比如说你。"他碰碰她鼻子，笑了。

当然了，她清楚自己被他欣赏的原因。他热爱这样的想法：那些偏执且附庸风雅的女孩们打破一切常规，过起波西米亚人的生活。这类事情无疑会得到他的赞许，但他可不愿意亲自去实践。他很可能会在大学时期与一些古怪善变的女子约会，随后娶进家门的却是他所能找到的最可靠、最符合社会需求的女子。她并没有因此感觉羞耻然后远离他。她喜爱这种替代性视野，她兴奋了，安心了。她并非那种漫无目的的女孩，漂浮在这所畸形的城市里，流连于一个又一个迷乱的社会境遇之中，奔赴愚蠢的约会。她是勇于尝试的波西米亚人。这个念头在她的脑中奏响了摇滚乐。她类似激情地吻上了他。

"有机会我真想干你，"他说，"但我觉得在这里你无法享受到性的快感。既然你不能尽情享受，那我宁可不干。"

她笑着轻轻地拧了一把他腰间的肌肉："但口交不在适用范围里，对吗？"

他离开后，这一天顿时忙碌得不可开交。大多数男人她见着都觉得讨厌，就在她忍耐他们恶臭的陪伴时，她发现自己躲进了被律师伯纳德庇护的想法中。

那晚桑德拉打来了电话。斯蒂芬妮捧了一小盒橘子冰糕坐在床上吃，她正在尝试用积极的态度对待生活，这一趟打扰她很欢迎。

"你好，"桑德拉说，"你现在没有在写作吧？"

"没有，老实说，我是在躲它。"

"又来了？"

"恐怕是的。"

桑德拉叹了口气："可能你想尝试在一天中最不恰当的时间里写作。对多数人而言，每天总有一段时光比其他的来得有效。你想过这点吗？"

"不，我没有。唔，我有份工作，你知道的。"

"对哦，这我给忘了。你并不像我那样有大把的时间。"桑德拉靠她的画家丈夫养着，还有一栋公公赠与的楼房。斯蒂芬妮告诉桑德拉自己在一家在上西区有多套房的中介做侍女。她想，这与肮脏的事实可真接近，电波轻易地泄露了她的遥不可及。她感觉桑德拉在审视她这虚构的职业时又抵触又尊重，她十分震惊自己的一位相识竟能毫不丧失尊严地从事这份工作。

桑德拉开始谈起那一次的展出。有一位举足轻重的东区艺术评论家在斯蒂芬妮离场后大驾光临，桑德拉期盼自己能引起他的注意。可是她却彻彻底底地被无视了，他还公然地称赞了她的朋友约兰达的作品。

"我知道我很小气，但是一直到收工时我也没法再跟她说话了。不单单是因为这一次的插曲，她老是这么夺人眼球——自从她开始在头发上粘小水钻并且与一名叫赛奇的家伙约会。我知道这听起来像什么，但有时我感觉人们只不过看在她是黑人的份上去响应她，他们想证明自己并非种族主义者。我的意思是说，我明白她很优秀，可我一直很努力，而她只是几个月才画上一幅画。她的素材尽是地狱的衍生物。我是指，我明白每个人都有自己衍生的方式，但是你懂我的意思。我感觉那就是一坨屎。我是不是很衰？"

"嗯……有点，"斯蒂芬妮说道，她是认为约兰达的作品明显好过桑德拉的，"不过我能理解你的感受。"她告诉桑德拉，有一位她压根就不待见的作家竟然厚颜无耻地出现在各种随笔专栏上，她的愤怒是何等之大。"当我翻开《名利场》，看到他与柴娜·史密斯在女神像前的合影时，我差点把它扔了。"她说。

她们讨论肤浅与虚伪的定义，斯蒂芬妮又一次说起了那位将她逼入绝望的二十三岁职员，他炫耀他即将发表于《绅士》上的作品以及后续的图书合同，直到她发现他早已被证实是弱智和臆想症患者，根本就不可能说真话。

斯蒂芬妮挂上电话，一阵隐隐地羞耻。她想到自己是在克里斯汀之家工作，她本可以更难受一点，但却意外地得到了慰藉。有些不可思议，不过这样的安慰她欣然接受。她也渴望将真实的工作情况告诉桑德拉，可她不敢。可能桑德拉并不会吓一跳，但她会认为这是对女性的自我毁灭和凌辱。好吧，也许就是这样。既然她成了妓女，她便不再写作。不知怎么了，这种认为她可以在结束克里斯汀之家一天的工作后，再静心写作的想法变得可望而不可即；一天中所亲历的叫嚣的苛刻的男性灵魂僵化了她的思维。她需要用一顿美餐来犒劳自己，安静地坐下好好照顾自己，就像母亲过去说的那样。她告诉自己，在克里斯汀之家的工作只是为了谋生和静养脑袋。写作日后再说。

她设想了未来，自己成功到谈论妓女的经历时无须介意他者的目光。"之后我很少写作了，"她会告诉自己的一群成功朋友，而他们则微笑地举着酒杯围着她坐成一圈，"我几乎花了所有的时间去重塑人格。"他们都会为这关于女性脆弱的可爱坦白而笑起来。

她没有告诉任何人，除了大学同学芭贝蒂。芭贝蒂想当一名演员，在她工作的餐厅里有一群爱穿皮革的朋友，到了周末，他们一干人等便聚首前往西区的"S&M"酒吧。芭贝蒂看上去似乎对卖淫不以为然，只是三年前当斯蒂芬妮说起了自己的第一次时，她还是大叫起来，"噢，斯蒂芬妮！你怎么能这么对自己？你怎么可以？"斯蒂芬妮一遍又一遍地向她解释说她并不觉得这会损害她的自尊，然而芭贝蒂并没有感到安慰。斯蒂芬妮怀疑芭贝蒂的惊慌并不是因为自尊的问题，很可能芭贝蒂是不安地发现了自己的朋友并非是个作家反而却成了妓女。然而，芭贝蒂很脆弱，她吸过量的可卡因，曾经崩溃曾经割腕——很浅，可是依然——现在每周要见两次治疗师，她想她最好还是不要再告诉她后续情节了。

　　往后的三天里她都没见着伯纳德，不过她可见识到了五花八门的人物，他们的无趣足以毁灭她那聊以自慰的、"快乐妓女与慈善嫖客"的白日梦。其中有个人，虽然坚持预先洗好澡用力擦干净，但是汗还是炙热得如同他洒下的爱抚一样顺着他的鼻尖滴落到她的脸上，而当她从他的亲吻里挣脱时，他真的糊涂了，几乎被伤害了。还有个性格孤僻的大块头，肥胖的胸脯上挂了一根双鱼座的金项链，他躺在床上侃起了在高中足球队里的那段人生顶峰。他无法弄清楚，为何打那之后生活会变得索然无味。"我打赌我知道当时的你，"他说着翻了个身，"你是永不过时的沉默者之一。看看现在的你。"他的口气并非出于恶意，如此乏味的评论却准确得逼得人愈加消沉。接着出现的是个胸脯内凹的小个子，他因建议她先"舔他的乳房"而冒犯到了她，她本能地甩开手说道："不。不。就是不可以。"说完出了房间下了楼，也没有在意克里斯汀会不会解雇她，不过后者当然是没有。"我会再派位姑娘上去，"她在她们躲进厨房后这么告诉斯蒂芬妮。"你今天工作得太辛苦了，要是他想走，我会承担损失的。"

　　第四天，伯纳德终于出现了，她一下子就跌入他的怀里。"看见你我是多么高兴。"她说着感受到了他情不自禁的温柔回应。她讲述了前些天的遭遇。

"那家伙花了半小时嘟嘟哝哝自己蠢透了的高中生活，还有他的重要地位，还有迷人的姑娘们是怎么和他约会的。太令人作呕了。"她注意到伯纳德困惑的表情，她哈哈大笑，"我猜，光听的话并不觉得那事情有多糟糕，可事实上真有。我在他的人生中待了一小片刻，那里满是虱子。"

他认真地注视起她来。"你说得对，"他说，"你不该待在这地方。这里不适合你。"

"我知道。我打算下周就离开。"

"要是这样，你必须把电话号码留给我。我很愿意与你保持联系。倒没有什么紧要的事。我只是觉得你相当有意思。"

直到离职前，她都没有再见到他，而他也没有及时打来电话。一个星期过去了，她断定他是改变了主意。她失望透顶，但同时也松了口气，她不再去想这件事。她渐渐回归到自己的生活里，先找工作，然后尝试每天写作。

芭贝蒂进入了一个活力与乐观的阶段，她又开始约她一起泡夜店。芭贝蒂有许多酒吧行业的朋友，所以她们便可以保持优雅的姿态，安心地走过一排排冗长的队伍，而排队的人群还在徒劳地尝试吸引门卫专横的目光。芭贝蒂这位棱角分明的小尤物，有一双细长的斜眸子，中式丝绸短上衣和黑色羊皮靴将她衬托得完美至极，纤瘦的臀部翘向一侧，而脑袋摆至另一侧。与她相比，斯蒂芬妮总感觉巨大的差距被揭开了，好像她的帽子戴错了，抑或她的裙边脱落了。

她们久久地徘徊在幽暗的屋子中，端着酒杯冲着对方高谈阔论。芭贝蒂的朋友常常会出现，然后邀请她们去厕所抽可卡因。有时候芭贝蒂会下舞池，斯蒂芬妮则站在边缘地带观赏舞者们，他们在盲目的喜悦中嬉笑挥手，或者在四肢舞动时狠狠地凝视地板。灯光忽闪忽灭，DJ 依照一贯节奏狂热地播放一张又一张唱片。斯蒂芬妮在夜总会里漫步，她会观察那些不跳舞的人们可憎地检阅着舞者，或者站在带着神秘激情大笑的人群中。大约十五分钟后，她不得不正视自己已经厌倦了的事实。她开始回忆来纽约之前的情景，她终于意识到此刻便是她曾经的憧憬：身处令人销魂的夜总会，挤满了欢声笑语者与满面忧愁者。她灰心丧气地断定一切阴霾都起源于她对这个错综复杂的社会仅仅停留在表象的认识，这个社会利用了精巧与费解的符号去面对外部世界，纵使他们的肉体成功地进入了俱乐部，却无法踏足取悦他人的话题里。这样的想法叫人气馁，不过却总好过人们一心渴望归入这个荒谬的地洞。

"您好，"顶着头丑陋发型的男子说道，"我喜欢您的帽子。"

"谢谢。"

"您想跳舞吗？"

"不，谢谢。"她作答的时候两眼直视他，旨在表达自己并非排斥他，而只是陷入了沉思，无法去跳舞。

这法子行不通，他恼火地瞪向了别处："您想去看雅典娜女神像吗？"

"不，谢谢。"

他故意以蔑视的目光凝视她，她注意到他其实非常英俊。"您是法国人？"他问道。

"不。为什么这样问？我的口音像法国人？"

"我不知道。只是看着像而已。您是舞蹈演员吗？"

"不是。怎么了？"

"我不知道。您总得有个身份。"他看上去想吐了。

"你是做什么工作的？"她问。

"我是建筑师。您想喝点可乐吗？"

"不，谢谢。"

他看看她，好像她完全疯了一样，于是他走了。她迅速地逃离这场邂逅，朝着满屋子的人堆走去，她决心至少要听到一个有趣的话题。有一名男子拦住了她，问她是不是意大利人。她丢了个"不"字就逃走了。她继续前行，迈向颇具气派的一群个大年长的反串者，他们是她在那晚所见过最受欢迎也最友好的群体了，这时一位非常英俊的黑人抓着了她的手肘，说道："晚上好。你是法国人吗？"

"不是。"

"意大利人？"

"不是。"

他的脸色沉了下来："那你是谁？"

"我来自伊利诺斯利州。"

他怀着确凿无误的蔑视感摔下她的手肘，转过身去。她忍无可忍了。她走出夜总会来到大街上，连芭贝蒂也懒得去找了。

她脚蹬高跟鞋走过了十个街区，就在她快到家的时候，她决心停下去附近的一家女同性恋酒吧看看。她想，有天性快活的女人陪伴着一同买醉会相当惬意。事实倒也是如此，直到她感觉一趟愉悦的谈话正逐步演变成下流的争论，在有关双性恋女子是否懦弱的问题上，她还没有找到转机。于是她跟跄着回了家。

次日中午十二点，她接了个电话，她尽可能地让自己的声音听起来显得虚弱和嘶哑以抵挡芭贝蒂一团糟的理由。她并没有立刻就听出他的声音，就算他提起了克里斯汀之家她也没有反应，然而正当他要开口骂她时，她才终于叫道："噢，你好。"她的声音因兴奋而得瑟开来（对她而言），她感觉自己就像是电影里涂着睫毛膏的蓬发女孩正躺在凌乱的床上。他就在这附近，想邀她共进午餐。

"天哪，我很想来，可昨晚我玩得太晚了，现在还在床上，我脸色很差。"

"好吧，我很失望，也许改天再说吧。"

"呃，也许我可以……你在哪儿？"

半小时以后她和他坐在了一间昂贵的火腿蛋松饼店，黑色短裤的服务员装腔作势的声音如同交响乐中的管乐，将此处看做西方文明的避难所。"先前我就尝试联系过你，可你都不在家，之后我忙了起来。格林威治村有几条街现在弄得很乱。"

"有所耳闻，"她说，"我真希望他们别这么对付格林威治村。否则这儿很快就会变得贫乏。"

"有可能吧，"他轻描淡写地说，"但是对于老街区而言，刻意地保持原样也只会让它变得贫乏，而不是珍贵。"

"不干预与刻意保持原样可不是同一件事。总之这就是人为的快速发展。"她与他快乐地争辩，她指出他违背了他早先所表达的信念，那就是政府应该为了保护穷人而去操纵经济。

"对，我假设你是正确的。"他在她简短的言论后讲道。他满不在乎的投降迫使她强有力的辩论愚蠢地朝向了一个消失的目标，她换了个话题，聊了昨夜的事。他尤其对她与女同性恋酒醉的争论感兴趣，他连说了三次"难以置信"。

装在椭圆盘里的鸡蛋端了上来。庄重有序的管弦乐兴奋地奏响。

"你离开克里斯汀之家后都干什么了呢？"他问，"工作还是写作？"

"都不是，真的。"她想：我在努力重塑我的人格，"我在找工作，大概是文书之类的活儿吧。也可能找一些兼职。"

"你有没有考虑过进入编辑行业呢？"

"我初来乍到时就试过了，但没结果。"

"怎么会的？"

她耸耸肩膀："我猜想我并非那么感兴趣吧。"她是考虑过要进一步为自己解释，但却选择去吃她的鸡蛋。她记得刚踏上纽约的时候，还在焦急地规划自己的未来。她将那些接踵而至的事件视为一系列黑框内的连载漫画。她的求职尤其是这样——那是她，两肩圆润的申请人，站在乏味的大掌老板面前。她记得面试她的是镇上最负盛名的出版社里最受敬重的一位编辑。

"噢，对，我记得乔治娅·赫尔曼。"那位老板在提到推荐斯蒂芬妮的那位女士时，转了转眼珠，那位女士曾与他共事两年。"一个相当可悲的实例。我雇用她只是出于对私交施舍的恩惠。她的生活全被毒品和男人毁了，你知道的。但说到你的话。"他注视她的样子就好像她是他的办公室常客了，"要是你真想成为作家，那么就不要搬去纽约。你会兴奋地趴在城区里某个潮湿的小垃圾场的窗户栅栏上，至于其他的，我就不知道了。"他扮了个鬼脸，厌恶地拍打了下手。

她提醒他说自己早已搬进了城里，他说："好吧，既然那样的话，或许你可以去《纽约客》碰碰运气。通常他们只雇用朋友和亲戚，不过你也有你的筹码，我不知道，新鲜清淡的面孔可能会招他们喜欢。我有许多朋友在那里。明晚你赏脸喝一杯吗？"

她不得不承认，她对工作的渴望很大程度上是为了获得一些她在伊利诺斯利州认识的人的认可，其中有许多都住在纽约，他们认定她就是个一事无成的神经病。

她记得她最后一次在午休时间里与其中一员的对话，对方是一名电影摄影助理。"斯蒂芬妮，"她说，"你仅仅只需要剪短你的头发。我知道这话听来肤浅，但说真的，事实就是这样。编辑是非常忙碌的人物。他们只能见你二十分钟，所以他们不得不依照印象来行事，其中就包括了个人风格。长发代表了大学——理想，寻找自我，就这些。这儿可没有人留长发。"她优雅地翻动着她的冷豆角。

她想起了杰克逊，这位她特别想教训教训的前度恋人，竟然反常得会因她未能获得一个职位而兴高采烈。她记得是何种好奇的安慰将她带入淫窝开始第一份工作的，在那个地方真实职业无关紧要，在那里男人和女人茫然地表演古老、原始、美好的交配之舞，殷勤而循规蹈矩。

"有什么不对吗？"伯纳德问。

"我只是想起了某个人。"她迟疑了一下，"是我在大学里认识的。这个人和我的关系糟糕透顶，往后的一年多我都没有过性行为。在他之后，我的第一次性交便是在第一家妓院上演的。"

"你开玩笑！"

她大笑起来："太老套了，不是吗？无情的下流胚伤透了女孩的心，于是女孩转行成了妓女。"

"你的生活倒真的非常戏剧化。"他快活地说道。

"并不算戏剧化吧。事情就是自然而然发生的。我是说，我现在已经都熬过来了。"

伯纳德送她回家，她没有料到的是，他并不想去她的公寓，即便她是很希望他能去的。事实就是，他们直到第二次晚餐时才做了爱。这是一次平静温柔的经历（"我不想伤害你。"他提到他那尺寸模糊的家伙时，他正躺在她的身上用臀部紧紧夹住她）。这个夜晚因他在出门前递出的那一百美元而蒙上了污点。

她受挫似的凝视着他。"我不想要这个，"她说，"我不是为了钱而见你。"

他一脸尴尬："我知道这不是你见我的原因。这也不是我见你的原因。但我认为这是你应该得到的。"

"我不想要。"

他坐到了床边："斯蒂芬妮，这很简单。我有很多钱。你却没有。你需要钱。我可以给你。请你收下。"

"我们外出吃饭的时候你并没有给我钱。"

他本想为自己寻找一个解释，但还是放弃了："好吧，下一次我们出去吃饭，我会给你钱。"

"我不会接受的。"

"如果你不接受，我就寄给你。"

渐渐地，接受远远没有争吵来得那么麻烦了。她等他离去后开始望着裙子上的现金思考起来：那么如今才是我的真实生活。接着她起身，把钱放进了钱包。

之后的几次见面，金钱似乎不再是件坏事。它甚至变成了堕落的魅力。这就让她想起了芭贝蒂的朋友娜塔莉，那位一直想当演员的耀眼的黑姑娘。芭贝蒂带着几分敬畏，告诉斯蒂芬妮娜塔莉是如何挑选男人，那些男人会为她买衣服，给她钱和毒品。要是伯纳德给她买衣服什么的该有多好，也许她就不会那么困惑了，但她享受着他的陪伴，在性的方面，他可以那么取悦她，她是真的被如此新颖的处境给吸引住了，可能他也如此吧。她告诉她的朋友，她遇见了一个已婚男子："偶尔会给她一些钱。"

"斯蒂芬妮，听起来你过得相当不错，"桑德拉说，"有时候，能有个人只是为了来你家取悦你是件好事。"

"我喜欢那样，"伯纳德双手抱住她时这么说的，"我是一个来你家取悦你的人。"

再者，她离开克里斯汀之家已经三个星期了，可还没有找到一份工作，所以钱对她来说是那么要紧。有时候一百，有时候两百甚至三百，钱的多少取决于他的心情。

她的生活渐渐从消极的午后电影、画廊和夜店滑了出来。芭贝蒂问她是不是着手写作了，她说她在做笔记，这点倒是真的。她对这种转变很满意，她有信心，她的潜意识会在不知不觉中收集信息。

某个下午，当她在索和区的一家咖啡厅里品咖啡时，杰克逊走了进来。他还是操着一样装腔作势的小步，一样僵硬的骨盆，一样上抬的下巴。他看着她，她看着他。她屏住了呼吸。他飞快地从头到尾打量她一番，接着无视她的点头直接坐到了另一个角落。

她想起了自己将第一次卖淫经历告诉芭贝蒂时，芭贝蒂说过的一些话："噢，斯蒂芬，你不知道这正是杰克逊预言你会从事的职业吗？你怎么可以跌入他所设定的可怕理论中呢？"

她呆板地向芭贝蒂解释说这与杰克逊无关，她肯定这毫无联系。但只要她一想到杰克逊听闻后可能有的反应她就特别低落。她最后一次见到他是在纽约，当时她叫住了他。他说他们该一起吃午饭，不过午饭变成了咖啡店里的塑料瓶装橘子汁，而杰克逊同时还在等待泡在洗衣机里的衣服。他的时间并不多，他说。他要在五点去会见未婚妻的父母。四十分钟的交谈里尽是停顿与俯视。"纽约的人总是忙忙碌碌，"他说，"我把时间分配给了工作和社交。我发觉我结交的大多数朋友也都是一些很职业的年轻人。"

她告诉伯纳德那晚见到杰克逊的事情，此时他们正坐在一间喧哗的酒吧里吃着三明治、喝着酒。

"某种程度上来讲，这听起来很浪漫，"他说，"拥挤的屋子里，安静地擦身而过。"

"这太可怕了。"

"你们之间究竟有过什么糟糕的事情呢？"

她耸了耸肩膀。"很难说清楚。我想这事有点老生常谈了吧。我曾爱过他，我太相信他了，以至于他在突然之间变得非常可怕。"她这才意识到伯纳德被一位戴着圈圈耳环、穿着白色长筒靴的丰满的金发女郎勾去了魂。她停了下来，等待他重新回过头面对她，"可这太复杂了。他对我的控制欲很强。他是双性恋——别担心，我是"女性"的一方——他与我在一起时还同时和他的安德烈在交往。他的确常常会爬出我的床然后走向安德烈。后来他决议安德烈与我应该成为朋友，我们该一同约会。"

"你为什么会这样去做？你喜欢？"

"对，这是一部分原因。我想要变得开放一点。我想经历一切事情。我爱杰克逊，或者说是我以为我爱他。最终，我和他们同床了，而打那时起事情就变得丑恶了。我崩溃了，杰克逊认定我很无趣于是甩了我。就是这样。"

伯纳德比以往更专注地凝视她，他深色的眼眸里有她读不懂的阴影，这片阴影越来越深，甚至有几分得意。他在桌子底下扣住她的手紧紧握着。

"即使他离开了埃文斯顿，我还是觉得我整个基调依然建立在我与他之间。那儿的人都知道我们三人的事。无论我去哪里，我都要面对这样的目光。杰克逊的朋友们是世界上最没有同情心的人……苦不堪言。"

"难道不正是这样复杂的关系让别人感受到了你们的神秘并且对你们产生兴趣的吗？"

"我不知道。我可不在乎什么趣味和神秘。我只想要他爱我。"

他看了她几秒，好像她的话虽然奇怪但却是事实。然后他的表情才渐渐缓和到慈父般的亲切。他用手敲敲她的脸颊。"你真的很古典，"他说，"看上去不像，可你的确就是。"

她与伯纳德开始约会了三个星期以后，也就是她离开克里斯汀之家一个月以后，始料未及的事情发生了。三年前她刚来纽约时面试过的某家杂志社给她打了个电话，关于一个编辑助理的职位。他们在一份陈旧的文档里找到了有她简历的埃文斯顿学报剪报，他们想知道她是否有意。那是一本建筑杂志——她并没有太在意这个学科，不过她对这本杂志优美的文笔和精致的设计记忆犹新。除此以外，她极度渴望能得到一份工作，于是她前去面试，两天后被雇用。

　　似乎在芭贝蒂和桑德拉看来，这是世界上最好的事情了。（如今桑德拉不再将斯蒂芬妮与《乡村之声》联系在一起，她可以在引荐时称她"从事编辑"）斯蒂芬妮还不确定这是否真比克里斯汀之家的工作好得多，她不再希望为了杰克逊做一个"年轻的专家"。

　　同时，她与伯纳德的这段微妙关系开始困扰她了。即使他们无话不谈，但是似乎变得越来越客气，以至于给两人之间留下了足够的幻想空间。性的方面，似乎依旧保持同一水平。她不敢说是不是他失望了。既然她现在在杂志社工作，金钱的问题又一次烦人地出现了。他不是那个来我家取悦我的人，她躺在床上时就这么想的。她想起了自己的一幅场景，半边身体懒散地瘫倒在克里斯汀之家的床上，镜中颠倒的脑袋正看着她的后脑勺，就像白痴的驼背。她就坐在桌前翻阅杂志，这个幻象却与她的意识混织在一起，她无法摆脱它们了。

尽管含糊其辞，但她还是不愿意放弃这段情事。他每周只约她一到两次，他从不苛求，他就像是她的读者，给她某种安心。至于哪方面的安心，她不清楚，但却牵连到过去当他说他认为她是前卫先锋的代表时曾经出现过的感受——虽说要是他有脑子的话，如今他一定会看出她不过是一个陷入迷茫的人。

"我想我知道你为什么会去克里斯汀之家这样的地方。"她说。

"我洗耳恭听。"

"有一回我待在那儿观察了一位叫做玛丽莎的女孩，她瘦得皮包骨头，并不算太吸引人，她长着一双空洞的褐色眼睛。那时夜已尽了，她把裙子撩到腰部蹲在地板上，她专注地数钱，表情就像小动物一样，我想象着在你这样的人眼里她会是什么样，且不论她那肮脏的人格——这个可爱的小野兽，它可以被收拾干净，可以被调戏，可以经历一切，然后被镇压。"

"难以置信。"他看上去彻底被逗乐了，"你的表达方式太精彩了。"

她心想：若他今晚再说一次"难以置信"，她就揍他的鼻子。

这是个凉爽的秋夜。他们走向她的公寓时，爪形的树叶带着泥土气息，刺耳地擦过人行道。

他们都沉默了，她很不舒服。他们刚结束一顿本该美好却未能如愿的晚餐。伯纳德分心了，（她感觉）他厌烦她了。他巧妙地调戏起女服务员，她观察着他们，失望的情感在她心里燃起，外加一种冰冷到死气沉沉的嫉妒。她感觉他们爬楼梯就如同一步一步迈向终点，仅仅是因为它远比它应有的更难逃避。

有一回在温暖的公寓里，尽管说，她对他的感觉好些了，她仍能在他的情绪里察觉到相似的变化。他们依偎在床上，侃侃生活上的琐事。他提到了他在大学时疯狂迷恋过的一位姑娘，这是一位火红长发的任性舞者，他说了自己如何在派对结束后勾引到她的。"这是我人生中最刺激的经历之一。最后一刻她惊慌失措，她说，'不要，还是让我用嘴给你解决吧'。"

"为什么她不想性交？"

"因为她太怕受伤了，她不想我进入她的身体。"

"后来呢？"

"好吧，我上了她。"他停顿，"一段长长的激情岁月开始了。"

"你从未考虑过娶她吗？"

他的脸部表情仿佛在说这是多么傻的主意啊："不，不。那时我并没有想过这些。"

"你在你的妻子身上找到过这样的激情吗？"

"没有，真的没有。她是我交往过的最美丽的女子，但是她并不能像其他人那样吸引我。"他碰了碰她的鼻子，"你的确很关心这个，不是吗？"

他们互相亲吻、爱抚，她家可笑的床板咯吱咯吱作响。接着他们又分开，继续聊天。她聊起了她姐姐的男朋友曾经在他们分手时候企图引诱她。

"然后呢？"他笑笑。

"什么都没发生。我不想。我是说，他并不喜欢我，他显然只是要做一些报复我姐姐的事情。"

"噢，不。可能并没有关系。"

"好吧，也许吧。我想其中一部分原因是，因为我是她的变种，所以才引起了他的兴趣。"

"非常对！"这句话的语气极其强烈，仿佛她道明了关键点。"在我分居的时候，我差一点就引诱到我妻子的妹妹了，但最后一刻我们都犹豫了，主要是她犹豫了。我们坐在餐桌边喝杜松子酒。"他笑笑，"当然，你姐姐的男朋友很想占有你。一个人总是想得到全部的。"

她开始讲述她的一个旧爱，这个旧爱使得她想起了伯纳德，不过她说话的时候一直在想象伯纳德站在厨房干净的瓷砖地板上急速攻击他那金发妻子的金发妹妹。这让她想起了《纽约客》上的故事，一些体面人士的婚外情。随着她对这幅画面越来越深入的思考，她发现自己越来越无法想象与这个男人的性爱了……这个客人。她突然对他的妻子产生了同情，这女人躺在单人床上，躺在自己的房间，而隔壁的男人却想要更多。她开始有了类似于内疚的感觉，她先发制人，开始吻他。床咯吱咯吱叫起来，他分开了她的双腿。

从那一刻起，曾经在餐厅里出现过的相同的背叛感又压倒了她。之后，他们又扯了些，但却聊不起来了。他们甚至离奇地会在纳博科夫究竟是不是好作家的问题上暗讽争吵。在频繁的沉默里，她想他是体会到了她突如其来的反抗。她有一点遗憾，因为她喜欢他，但是这一次当他站起身来要走的时候，她释怀了。当他丢下那句"好好照顾自己"之后，她明白她再也不会有他的音讯了。

他离去半小时后，她才发觉这是他第一次没有留下钱。这前所未有地震动了她，她坐在床上，哭了。

她无法弄清自己在哀伤些什么。克里斯汀之家，布莱特，杰克逊，她在纽约悲凉孤独的第一年，律师伯纳德，一切似乎都脱不了干系，尽管她也摸不清自己是不是将所有的可能性都强加进她的悲伤之中。她一直哭，哭到她确定自己完全好了为止。她起身，穿上鞋子，出去走了走。

这个美丽的万圣节前夜，街上的行人兴高采烈。她欢快地前进，听见赏着人们的容颜和发型。她望向了人群、小狗、汽车还有楼房，一切的一切都让她喜悦。她在一家韩国食品杂货店门口停下脚步，她注视着那些水果。摆放得传统有序的水果是多么优雅与美好，她被打动了。她想象自己每个星期都来这里买水果、蔬菜、面包、谷物和牛奶，这想来是个绝妙的主意。她给自己买了一个苹果，边吃边走回了家。

黛西的情人节礼物

浪漫周末

美妙不已

篡改之恋

联系

斯蒂芬妮的尝试

● **秘书**

额外之因

天堂

打字与秘书培训课程被安排在了当地社区大学经管楼的地下室里。授课的是一位老妇人，呈云卷状的发块浮在两边的太阳穴上，连衣裙的袖管泄露了备用的克里内克斯面巾纸，也许是用来擤鼻涕的。一只苍老的手还握了块秒表，她翘起臀部，以君王一般威严的目光注视我们，压根儿就不在意自己下垂的小肚子。我前排坐着一个女孩，这个消瘦的肩膀上立着又短又紧实的棕色小鬈发。在如此寒冷干燥的季节里，脑门上孤独的发丝是多么显眼。

这个课程为时两钟头，外加中间十分钟的休息。所有人都利用这个小憩时光走向大厅，泡点咖啡或者取些糖果。女孩子们成群结队地站着说话，两名圆肩的男打字员捧着塑料纸杯在走廊上慢慢走来走去，经过教室的时候他们都看向门缝里漏出的明亮的光束。

我会走向一扇面对停车场的落地窗，凝望起打落到车罩上的街灯之火。

课后，我回到家中便将书扔在堆满残余餐具的桌子上：一团餐巾纸、几杯水，还有一碟置在锅垫上的青豆。我父亲的盘子总放在那儿，里面有啃过了的骨头，上面还撒着胡椒粉。他会穿着睡衣，头发往上翘起，膝盖上还搁了一碟冰激凌。"今晚你一分钟打了多少个字？"他问。

这个问题并非无理，只是由此引发的老套乏味与争论不休着实让人恼火。这多少暴露了他善于积蓄一些愚蠢细节的行径，还有一种以为我会重蹈姐姐命运的偏执恐惧。八年来，她的工作就是在一户人家照料弱智患者。上班时间她会每天穿牛仔裤和长款军大衣。到家后她直接上楼回房，一头栽倒在床上。她不时会下楼开开玩笑或者看看电视，但是机会不多。

我的母亲会开车带我到处去找工作。一开始我们在报纸上搜寻广告，拿着黑笔画圈圈，然后用"×"做记号。面目全非的报纸被折起摊在餐桌上，我们争论起来。

"我不友好，也不优雅。我可不打算回复这样的广告。蠢透了。"

"你可以友好一些的。另外，倘若你不忙着贬低自己，你还是很讨人喜欢的。"

"我没有贬低自己。你只是想这样看我，一来你就有谈资了。"

"你太固执己见了，黛比。"

"哦，呸。"我抓起一颗糖，粗鲁地就着糖纸一道捏下去。我的双手又红又糙。不管我抹多少润肤露都无济于事。

"得了，我们起步就错了。"

"闭嘴。"

我母亲盘起了腿。"好吧。"她说道。她捡起报纸的"生活"版，沿着边撕开。她的头往后仰，眼睑垂下。她的上唇变成了说话时的敌意姿态。她拿起自己的绿色茶杯，咕噜咕噜喝下去。

"我是值得信赖的人。所以我只会答复可信的广告。"

"你说说而已。"

我们最终上了车。我的脚趾因穿高跟鞋而发肿。母亲与我共用一盒放在仪表盘上的印花克里内克斯面巾纸，再将用过的面纸塞进车中间变速箱旁的棕色袋子里。两个车道都堵了。我们的车经过了艾米·乔伊面包圈店。他们仍旧没有将字母"y"放回"Amy"的标志中。

我们的第一站是新乐园。西尔斯公司的秘书事务部在招人。那里有一位顶着丑陋的长鼻子的男士，指尖在桌上僵硬地打圈圈。他基本上都在注视自己的手。他说他会联系我，但是我知道不会。

我们在回停车场的路上看到了一家宠物店。店里仅仅只有小仓鼠、鱼以及无精打采的黄鸟。我们驻足观赏起浮游在浑浊的绿水池子里的零星小鱼。我十岁时就来过这家宠物店。那时商场刚开张，我们一家子全都出门逛街。我的姐姐，唐娜，想进去看看这家宠物店。店堂既温暖又潮湿，嗅得到一股毛皮和仓鼠的味道。我们离开后似乎感觉到了冷。我说我很冷，唐娜脱下白色的人造皮革衫披在我身上，她的一只手在我的左肩停留了一分钟。她从未这样碰过我，之后也不再有了。

下一站是家税务信息所，它位于一幢刷了绿色条框的大厦里。他们给我做了个智力测试，大多是拼写和"这句话错在哪里？"的题目。有位女士笑呵呵地从办公室里走出来，她手里拿着我的试卷。"你的成绩高过所有前来面试的人，"她说，"这工作对你简直大材小用。毫无挑战可言。你会闷死的。"

"我就喜欢闷一点。"我说。

她大笑起来："噢，我可不相信。"

我们聊起了人们除了工作以外还想要什么，聊得很愉快，之后我就离开了。

"好吧，但愿你没对自己的高分感到出乎意料。"我的母亲说。

我们去八里街的法式饼店买了一种叫做大象耳朵的饼干。我们开着车吃光了整袋饼干。我惬意得可以开车兜一天的风了。

接下来我们去了电报路上的律师事务所。这是一栋褪了色的橙色砖楼。周围没有任何房屋和商店，唯独一座停车场和几株绷紧了的冷杉，冷杉看似被人粉刷过了。母亲待在车里等我。她微笑地拿出填字游戏，全神贯注地投入其中，笑容始终驻扎在她的脸上。

律师身材矮小，眼珠乌黑明亮，肩膀倒不够灵活。他冷漠并挑衅地一把握住我的手。我感觉他的手就要穿过我的胸膛，然后抓起我的心脏，拧它，体会它的感受，接着弃之不顾。"来我办公室。"他说。

我们坐下，他的视线放到了我身上。"这工作并不麻烦，"他说，

"我的一名律师助理，原本负责搞搞研究、跑跑腿，以及校对工作，现在去一家代理社工作了。我要的是一位现成的打字员，准时上班和接听电话。"

"我行的。"我说。

"工作很乏味。"他说。

"我喜欢乏味的活儿。"

他凝视我，沉思中的眼皮耷拉了下来。"有几点我要告诉你，"他说道，"你自闭，密不透风。你就像一堵墙。"

"我明白。"

我的回答吓了他一跳，他睁开了眼。他仰起头看着我，亮堂堂的眸子重新暴露出来："你试过放松放松吗？"

我的嘴角抽搐了一下，似笑非笑。"我不知道"。我的手心冒汗了。

他那位要离开的秘书在第二天给我打了电话，告诉我他打算雇用我。她的声音沉闷单调，毫无抑扬变化。

"打字课程确实值了，"我的父亲说，"这是一笔有益的投资。"他拿起酒杯激动异常地在客厅里走来走去。"律师事务所真让人着迷。"他拱起了下巴，清了清嗓子。

甚至唐娜也下楼炸了点爆米花，盛在大盘子里放桌上分给大家吃。

她慵懒地一口一口吞吃，大爪子还在盘子里乱捣："这或许不错。有趣的人会出现。纵然那个律师可能就是个窝囊废。"

母亲沉默地端坐，她对自己在这次求职计划中担当的角色非常满意，她用手指夹起一簇簇爆米花放进嘴里。

那天晚上，我把新工作服摆到了椅子上，我审视起它们。一条棕色裙子加上一件米色衬衫。我一直着迷于淡漠的丑陋。可我不知道这还会持续多久。我盯着夜光下的灰色轮廓，将它们卷到了床的暗角。

实际上，我家人的热情让我感觉是一种对我工作的挖苦——对于我在任何事情上所作的任何努力。鉴于他们的热情，唯一明智的做法似乎就是无礼地不动声色。但是到了早上，当我吃着水煮蛋和土豆的时候，我情不自禁地好奇激动起来。我和母亲驶向模糊的橙色大楼时，这种感觉越来越强烈。我觉得自己好像完成了什么任务。我想干得出色一些。我们途径艾米·乔伊的面包圈店，透过玻璃墙，我看见一如既往的建筑工人们脚踩沉重的靴子，身着夹克衫，坐在塑料转椅上等候咖啡和炸面包圈。对于工人和他们作为体力劳动者的坦然，我一直有种特别的感觉。就我而言，我很乐意成为他们这样的人。我下了车，对母亲还以了微笑，她说"祝你好运"，我说"谢谢"。

"唔，你来了，"律师说。他拍了拍僵硬短小的双手，拉大了嗓门，"真准时。早上好！"

他开始对我进行培训，之后的一个星期都在培训。没有任何有趣的人物来过此地。几乎就没几个人进过这间办公室。第一周总共就三个人。第一位是神经质的中年妇女，她的头发参差不齐，脚上的淡紫色橡胶靴是儿童式样的。她和她的靴子一起坐在等候室的椅子上，重新整理整理她的小提包。第二位是身裹明艳哈伦裙的胖女人，她有一双野性的小眼睛，眼白掺杂了点黄色，她提着包就像揣着武器。最后一位是男人，他绝望地坐着，不停地摆头似乎想让脑袋与身子分离。我能听见他进了律师办公室后就提高了嗓音。律师在他走了之后便出来说："他完全是个疯子。"接着命令我打张一百美元的账单。

随机坐在等候室里的人都显得格格不入而不讨喜。他们坐立不安。高雅的老扶手椅和松软的弹簧垫子让他们在呆板的新式等候室中迷失了方向。笨重的橡木桌简直就是一名靠在米黄色石灰墙上的白痴。我面前那些阴郁的植物有着一副对于植物来说过重的外表，即便其中还有一株纤细的蕨类。

律师看起来很有组织感，思维非常清晰，竟然会有这样一间办公室，这让我很惊讶。不过我待着很舒适。这样的混乱如同将所有能穿的旧衣裳统统紧裹在身上取暖。最初两个星期于我一切安宁。我沉醉于无聊的时光中，周而复始的动作、条款，以及律师与我之间的互动。我享受着感受他强压给我的愚蠢且自信的存在意识。他会说："打这封信。"而当我发现打信能表现我的成就与成果时，我的神经才会紧绷。我是能派上用场的。

母亲天天来接我下班。我们通常回家前要先去趟 A&P，给我父亲买一堆法式面包、啤酒和波兰熏肠。一到家我就上楼回房，脱掉衬衫和裙子扔在地板上。我穿着内衣和丝袜爬上床，钻进乱成一团的毛毯里，我会在聆听父亲对母亲的嚷嚷里渐渐入睡。我醒过来是因为唐娜会猛敲房门并大呼小叫："吃饭了！"

接着我会和她一起下楼，坐上餐桌。我们边吃边收看电视新闻。母亲的脸上会呈现出紧皱而游移的表情。而父亲的身体对着餐盘蜷缩起来，就像动物对待自己的猎物。

饭后我就回到楼上去，听听唱片、写写日记，或者与唐娜玩一会儿巴旗戏，玩到我们都有了睡意为止。临睡前我会看看第二天要穿的衬衫和裙子。苏醒后我会观察陶瓷天气狗，它本该根据天气而变为粉色、蓝色或绿色，但最后只变为灰色并且恒常为灰色。我听见父亲进了浴室，我听见电台间奏曲的混杂音，玻璃杯放下的叮当声，他关上药柜时嘎吱嘎吱的响声。唐娜会站在我的门外等父亲张罗完毕，她的嘴里还不忘咕哝咕哝"狗屁"这样的话。

回过头来看，我真不知道那段时间会是如此心满意足，可事实就摆在那里。

第三周的第一天，律师走出了办公室，一脸前所未有的严厉，他的双眼闪烁着一种奇异而危险的光。他的手中是一封我打的信。他把信摔向我的桌上，就扔在我了面前。"看看。"他说。我照做了。

"你看到了吗？"

"什么？"我问。

"这封信里有三个错误，其中一个我认为是拼写上的失误。"

"对不起。"

"这也不是第一次了。其他错误鉴于你才上班一两个星期我就没有追究。但是不能再这样下去了。你知道那些收到信的人会如何看待我吗？"

我望着他，难堪极了。一场大灾难竟然在我的满足感之下藏了两个星期，而他都不告知我。这感觉很不公平，尽管想想，我也可以理解他的不情愿甚至是窘迫，毕竟他要提醒我注意的是这样一件愚蠢而烦人的事。

"重新打。"

我照打了，可是剧烈的战栗却导致了更多的错误。"你在浪费我的时间。"他说完再一次把信递到我手中。第三次，我终于没再出差错，但是剩下的时间他把自己关在办公室里生闷气。

在这一个星期里，类似的事情不断重复。律师每一次都要爆发出他的愤怒和疑心。除此之外，我察觉到他心里滋长出一些别的东西，亲密的卷须正从他某个阴暗的地域里蔓延开，有种感受被激起，他发现了我的秘密。

这样的处境让我无比沮丧。晚上到家后我都没法入眠了。我躺下，凝望灰色的天气小狗，在幻想与律师进行一回能澄清所有的对话，我要向他解释说我真的是尽全力了。因为他似乎认为我是故意犯错的。

这个星期结束之际，他挑剔起了我接电话的方式。"你就像个机器，"他说，"听上去好像你活在'阴阳魔界'里。你应答别人的时候压根儿都不动脑子。"

下班前他把我叫到他的办公室，我想他是准备解雇我了吧。这个想法是种消遣，麻木的消遣。我坐了下来，他的目光锁定在我的身上，他的脸上写着好奇，好在却很仁慈。他舒服地靠在椅背上，任凭手腕垂在一侧。我没有想到他竟然开始谈论他所发现的我的错误。

"我感觉你这个人不错，不过却相当复杂，你刻意隐藏起你自己的喜怒无常。你关上门，假装没人在家。"

"你说得对，"我说，"我是这样。"

"那么，有什么原因吗？为什么你不敞开一些呢？这可能会有利于你的打字工作。"

这真的完全与他无关，我想。

"你该设法多开开口。我明白我是你的雇主，我们之间有限定的关系，可你该坦然地与我商榷你的问题。"

他竟然要商榷我的问题，这想法太荒谬了。"真不敢想象我会和你进行这样的探讨，"我说。我踌躇了一下，"你有很强的个性……当我碰巧遇上了这种个性，我退缩了，因为我不知道该怎么应付。"

显然他很满意这个回答，可他却说："你不该这么羞涩。"

我日后再想起这番话的时候，一方面来讲，似乎这位律师不过就是个蠢货。另一方面，他的批评居然不可思议地影响到了我，我感觉到了可怕的波动。而在这之前，从未有人对我作过如此个体化的评论。

第二天我又犯了个错。前一天的私人交流让他对此回合的错误愈加厌恶和反感，因为他发飙发得比以往更甚。我真希望他能炒了我。我该提议一下，然而沉默击倒了我。我坐着目不转睛地注视被他拿来大呼小叫的信。"你哪儿不对劲？"

"我很抱歉。"我说。

他默不作声地站了一会儿。接着他说："来我办公室。带上那封信。"

我跟在他身后走进了办公室。

"把信放我桌上。"他说。

我放下了信。

"现在，弯下腰直视它。用手肘支在桌上，把脸贴着信。"

我有些迷惑，按他的话做了。

"把信念给你自己听。一遍一遍重复念下去。"

我念道："亲爱的盖威先生：我非常感激您提到的……"在我念"提到"的时候，他打了一下我的屁股。我一点都不惊讶，这太滑稽了。我的确是在马不停蹄地读信，尽管我搞不懂它的用意。我哭了起来，泪水模糊了墨印。"羞辱"一词蹦进我的脑海，它的巨大威力屏蔽了所有的话语。更甚者，我体会到这个概念的所指居然成了我生命里相当长一段时间的重要力量。

他约莫打了我十分钟，我猜想是这样的。这封信我只念了五遍，一部分原因便是信纸湿得太快，字迹无法辨认了。他停手后说："好，挺直身子，重新打一遍。"

我走回自己的位子。他随手关上了门。我坐下，擤了擤鼻涕，然后把脸擦干净。我发了几分钟的呆，时不时地感觉到来自臀部的刺痛感。我重新打了一封信送去他的办公室。信放他桌上的时候，他没有抬头。

我出去坐好，我计划要陷入某种麻木不仁中了。但是一位客人的来访让我只能作罢。我急忙去通知律师有客人光临。"叫他等一下。"他草草地说。

我让客人等一等，他走近我的桌子开始与我攀谈。"我之前来过这儿两次，"他说，"您认得出我吗？"

"认得出，"我说，"当然认得出。"这位中年人个子很小，长了一双会颤抖的小手，嘴唇上有条一直游到下巴处的疤痕。这条疤并没能让他显得更蛮横一点，他的焦躁早已磨光了蛮横。

"我从未想过这类事情会发生在我的身上，"他说，"我从未想过我会出现在律师的办公室里，哪怕就一趟，而如今我都过来三次了。显然什么事都没有搞定。我一向都很讨厌律师。"似乎他希望能把我惹毛。

"许多人都一样。"我说。

"不然我就会开枪打死隔壁那群该死的卑鄙小人，不管怎样我都需要一位律师为我辩护。你知道我的事吗？"

我知道。他控告他的邻居，原因是邻居家有一条"整天都在叫"的狗。我在聆听他的控诉。我惊喜地发现这方短暂的对话竟可以重新唤起我的感知神经。当律师走出办公室前来接待这位客人时，似乎一切都已经恢复得不能再正常了。我注意到他的手里捏着我的信。就在他要转身为客人引路前，他将信递给我，他的脸上挂着微笑。"干得好。"他说。

那晚我到家，一切照旧。那段插曲并不能扰乱生活的秩序，只是我与家人稍稍疏远了一些。我站在浴室的镜子前，我的后背并没有红肿。

我爬上床了开始思索白天的事情，我突然亢奋起来。老实讲，我的生活还从未如此刺激过。这也没能让我太诧异。我麻木了，我想我不可能再与任何人正常交流。我慢慢地自慰，尽可能让高潮来得迟一点。尽管我尝试了很久，可我并没有达到高潮。于是，我无法入睡。

之后的一个半星期里，类似的情形至少发生了两次。再跟着的一个星期内，即便我打错了字，他也不再打我了。相反，他会命令我趴在他的桌子上盯着错漏看，同时一遍一遍重复念叨"我真蠢"。

我们的关系在其他方面并没有得到改善。白天的他依旧友好刚健。他看上去自信满满，我忍不住地就对他产生了反应，他倒真的是一位专横跋扈却相当和善的老板。可是，他再也不邀我共同探讨关于我的问题。

他开始屡屡出现在我的梦中。有一个梦境出现的频率最高，我与他漫步在一片巨大的亮红色罂粟花海中。那一天晴朗温暖。我们相互微笑，两人之间竟出现一种惊人的感觉，既放松又亲和。"我现在理解你了，黛比。"说完我们牵住了手。

办公室事件困扰了我一阵子。临吃晚饭前，我父亲担忧起自己工作上的事。我听到他在卧室里大声嚷嚷，而母亲则在旁试图安抚他的情绪。他叫喊道："我宁愿待在马戏团里！你把头伸进一个洞里，然后人们出钱往你身上扔垃圾！"

"马戏团里可没这活儿，"我母亲说，"住嘴吧，老头儿。"

等我下楼吃饭的那会儿，所有的事恢复如常。我望着我的父亲，心里涌起一股病态之情，这种知觉的爱却同时被打上了耻辱与惶恐的烙印。

记得我最后一次打错字的时候，律师召唤我进他办公室，这一回发生了两件异乎寻常的事。首先，他在打完我的屁股后叫我撩起裙子。恐惧绑架了我的胃慢慢地升向胸膛。我转过头，试图直视他。

"你可不会担心我强奸你，对吧？"他说，"别傻了。我对那事毫无兴趣，至少现在没兴趣。快把你的裙子往上拉。"

我把头撇了过去。我想，我没必要听从。我可以现在就打住。我可以直起腰来，大步大步走出去。可我竟办不到。我撩起了裙子。

"拉下连裤袜和内裤。"

一根恶心的手指戳了戳我的肚子。

"我说过我不会操你的。按我的话去做。"

我的脸庞和喉咙发烫，但脱下底裤和连裤袜时，我贴在腿上的指尖却是冰冷的。面前的那封信已然扭曲得面目全非。我以为我会晕厥或者呕吐，可是没有。悬浮的眩晕感支撑着我，就像我的某一个梦境，我梦见自己能飞，但只能以某种怪诞的姿势。

一开始，感觉他好像什么都没做。之后我才渐渐察觉背后有一小股疯狂的能量正在耗尽。感觉就像有一只恶毒的小动物正狂暴地用它的小钳子和齿轮挖泥土。我的臀部被喷上了滚滚烫的黏物。

"去把你自己弄干净,"他说,"把这封信再打一遍。"

我慢慢站起身子,我的裙子滑过了黏稠的污秽物。他摇摆着身子快速地打开门,我离开了办公室,我甚至都没有拉上连裤袜和内裤,我想不管怎样我都要去次厕所。他关起了门,第二件怪异的事情便跟着来了。苏珊,律师的助理,她面容滑稽地站在等候室里。她有一头金发,身上是一件绒毛短衫,脖子里挂了根伪劣的金链。她尽可能友好地憋出幽怨而粗糙的声音。此刻,她也只能说一句你好了。猥琐而厚重的唇瓣若有所思地张开了。

"您好,"我说,"请等一下。"她注意了我笨拙的走路姿势,下落的连裤袜阻碍了我的前行。

我走进厕所,将身体擦了个干净。我并不感觉难堪。我觉得自己是台机器。我真想把那无能的助理撵出办公室,这样我就能回到厕所来自慰了。

苏珊办完自己的差事后就走人了。我自慰了。我重新打了一封信。律师整日都坐在自己的办公室。

下午,母亲来接我,她问起我是否还算顺利。

"为什么这么问?"

"我不知道。你看上去有点怪。"

"我和平时一样正常。"

"这话听上去并不好，亲爱的。"

我不予理会。母亲双手转动着方向盘，焦虑地紧握着。

"可能你想在法式饼店那里停车，我们可以去买些大象耳朵。"她说。

"我不想吃大象耳朵。"我的语气恶劣极了。我就快要哭出来了。

"好吧。"母亲回答。

我躺在床上准备打个小盹，我的身体越来越沉重，好像再也不能动了一样，这样也正合我意，我压根儿就不打算再动。唐娜过来敲门嚷嚷"开饭了"，可我没有应答。她把脑袋探进屋里，问我睡着了没有，我告诉她说我没胃口。我感觉自己毫无生气，我想我需要睡眠，但是我睡不着。我很清醒，我的耳朵里充斥了争论声、电视声，还有所有人进入浴室的声音。临睡前，我听到刺耳的抽屉一开一关声，门砰地拉上了，父亲在含糊的无线电声波里安逸入睡。钟上的橙色数字写着一点半。我想：我应该脱去连裤袜。我坐直了身子，望向了窗外那条灰暗阴沉的街道。沿街草坪上的灌木丛看上去冰冷、悲戚。我想起了一年前，那段失眠的日子，因为我彻夜都在幻想有人要闯进屋里杀了我们全家。最终畏惧感消失，而我重新睡着了。我没脱衣服就躺了下来，用一条轻盈的毛毯紧裹在身上。迟早，我想，我会睡着的。我只是不得不再等待一会儿。

然而，我并没有入睡，不管我对着冗长乖戾的时间是如何地语无伦次或者神经兮兮。几小时过去了，房间的光线变得暗淡。我听到了清晨的喧嚣：盥洗室、咳嗽声、唐娜敌意的咕哝。在过去的日子里，我常常很早醒来，躺在床上倾听我的家人笨手笨脚地开启一天的生活。不出意外的话，他们的声音总会让我无来由地憎恶。这个早晨，我却陷入了绝望：我是多么渴望听到那些声音，我心里很踏实，只要我活着，我们就永远不会亲近。我的鼻腔伴着眼泪抽动起来，可我的眼睛却看不到。

母亲在敲我的房门："亲爱的，你要迟到了？"

"我今天不去工作。我病了。我会打电话去的。"

"我替你打，你就待在床上吧。"

"不用，我去打。我必须亲自打。"

我没有打电话。律师也没有打来我家。第二天、第三天我都没有上班或者打过电话。律师依然没有动静。律师没来电话让我稍稍有些受伤，可是我的庆幸感远远大于受伤感。

我在家里窝了四天之后，父亲问我难道我不担心请了那么久的假吗？我当着唐娜和母亲的面，我告诉父亲我准备辞职。他哑然失笑。

"这可不明智，"他说，"你现在要干什么呢？"

"我无所谓，"我说，"那律师是个蠢蛋。"我哭了，他们无从适从。我跑开了，在他们的目送下我踏上了楼梯。

次日晚饭时，父亲说："别泄气，这第一份工作并不能发挥你的才干。外面机会多的是。"

"我现在还不想去考虑下一份工作。"

饭桌上燃起了怒火。"别胡扯了，黛比，你并不会把你在打字课上学到的东西都扔掉的。"父亲说。

"我不打算责备她了，"唐娜说道，"我受够了为蠢货做事的日子。"

"噢，闭嘴，"父亲说，"要是我碰到这种情况就把工作辞了，那么你们早就已经全都饿死了。也许我真该这么做。"

"发生什么事了，黛比？"母亲问我。

我说："我不想讲。"说完我又一次走开了。

打那时起，凭着对不幸的直觉，他们可能意识到发生了一些吓人的事。因为他们不再提起这个话题。

我收到了律师寄过来的最后一张薪水支票。支票折叠好塞在一个信封里。上面写道："我对我们之间的事情感到很抱歉。我体会到自己对你犯下了多么傻的错误。我只希望你会谅解，并且，与别人讨论起它的时候，不要再继续恶化这个早已不幸的处境了。祝一切顺利。"他在备注里向我保证可以为我写一封很好的推荐信。随信附上一张三百八十美元的支票，比他应付的多了两百多美元。

我突然想撕碎支票或者律师的信件。不过我没这么做。此刻，两百美元比它本身可值钱多了。有了这笔钱再加上我银行的存款，足够我支付一间公寓的定金了，还略有结余。我下了楼，在活期户头的存款栏写上了"380"。我并不认为自己是娼妓一类的。我觉得自己做得对。我满意地欣赏着这个总数。随后我下了楼，问母亲想不想去买点大象耳朵来。

随后的两个星期里，我都差点忽略了找工作和搬离父母家的念头。在早间的喧嚣声里，我可以蒙头大睡一直到中午时分。我起床后吃点冰冷的燕麦，然后去洗碗。我看着喜剧老片里的灰色进行曲。我玩填字游戏。我躺在床上，在乱成一团的棉被与绒毯中不断地自慰，两次、三次，甚至四次，总是想着那件事。

直到我父亲拿着报纸戳到我鼻下时，我还在沉沦，他说："你看到你的旧上司现在干了些什么吗？"有一篇文章是关于韦斯特兰地区竞选新任市长的。他参与了竞选。我从父亲的手里取过了报纸。第一秒，我就对律师产生了最简单的嫌恶感。韦斯特兰什么没有，唯独就是多家商店、炸面圈摊位和一座前方是人造火山的丑陋的戏院。哪个白痴愿意做韦斯特兰的市长？我再一次回房。

隔周我接到了一个电话。男子的声音温和，怀着一丝试探性，还有一点哀吊性质。"请问是罗伊小姐吗？"他说，"但愿您很快就能忘却这通突兀的电话。我是《底特律杂志》的马克·查明。"

我没有做声。那个人愈加迟疑了，他继续说："您方便说话吗，罗伊小姐？"

厨房里没有人，我母亲在隔壁房间用吸尘器打扫卫生。"您想谈点什么呢？"我说。

"谈谈您先前的雇主。"这些字眼是伴随着有些严厉的声音吐出来的，不过很快他又恢复到了之前的慰问状，"请不要害怕或者心烦。我明白这个电话会让您不安，我必然是打搅到您了。"他顿了顿，这下我才能有时间哈哈大笑。但是我没有笑，他的声音更加警惕了。"事情是这样的，我们在着手一个有关你前任上司竞选市长的报道。说得婉转些，我们认为他从没为公共部门做过实事。我们觉得他对整个底特律并没有一点好处。他的名声极差，罗伊小姐——希望这没惊扰到您。"他又故意地停顿了一下，不过我没接应。

"罗伊小姐，您还在吗？"

"我在。"

"所有这些都是为了后面的话作铺垫，我们有理由相信您可以提供给我们一些有关您前任上司的信息，而这些信息又足以对他造成不利。信息中不会牵涉到您的名字。我们会用个假名。您的隐私一定会被好好保护的。"

真空吸尘器停住了，沉默缠遍了我的全身。我的喉咙痛如绞。

"您需要时间考虑吗，罗伊小姐？"

"我现在不方便说话。"我心神不宁地答复。

如果我想穿过客厅，那么我不可能不接受来自母亲的拷问，是谁来的电话呢，所以我下楼去了地下室。我坐在发霉的沙发椅上，蜷缩着如蜈蚣一般漫不经心的身体。我的下巴搁在膝盖上，双眼凝视着父亲那些塞满旧平装书籍的盒子，还有一大堆装着芭比配饰的塑料芭比箱，唐娜和我以前总是在前厅玩弄它们。一双僵硬、苍白的脚，死板地摆弄出无助和无力，它们伸出了天蓝色的箱子。

不晓得为什么，我还能记起几年前的事，母亲带我去看了精神病医生。他有问过我一个显而易见的问题："黛比，你有没有过一种感觉，就是，你在你自己之外，似乎你真的可以在另一个地方观察你自己？"我从未体会过，但是现在有了。这感觉根本就不坏。

黛西的情人节礼物

浪漫周末

美妙不已

篡改之恋

联系

斯蒂芬妮的尝试

秘书

● **额外之因**

天堂

康斯坦丝在东村见到富兰克林后仓皇失措，有部分原因是两年前他曾花了整整一星期的时间疯狂地诱惑她，然后唐突地甩掉她转而迎娶了一位至今身份不明的未婚妻。不过还有一些别的原因。"康斯坦丝！"他大声喊道，"上帝啊，见到你太好了！你看上去不错！说实话，你看上去真漂亮！"

她上一次见到他还是在他的婚礼派对上，他跟着"弗莱什大师"的音乐动着口型，跳着一种扇动双臂的舞，他那租来的礼服简直要被他扯破。打那以后，他的鼻子好像越来越大、越来越粗糙，面孔越来越宽，与他人交谈时，他的眼神错乱地游离到对方的头上。不过他依然能保持一定的风度和姿态，让人觉得他将谈话的内容和对象看得同样无比重要。她记得他曾经对她说过的话："别担心了，康妮。十五年后，我将在惠特尼开我的个人展，而你将定期出现在《纽约客》上。"他停了停，"但到了那时候，我们都会变得丑恶。"

她站在十字路口对他微笑，他们兴奋地来回嚷叫。他很忙，非常忙，忙着为三家出版社撰写文艺批评，兼职授课记忆作画。她是一名自由撰稿人，目前正绻缩在一个安稳的缝隙中，给一本通俗文学季刊做兼职编辑。他们手挽手，走进了一家咖啡馆。

"天哪，"他说，手握住了浓缩咖啡的棕色小杯，"能见到一张新面孔真好。好几个星期了，我面前晃来晃去的都是艾米丽那群从达拉斯来的朋友们——全都是些不可思议的女性，清一色的画家，清一色的四十岁，难以置信的聪明——你能相信吗？——清一色的单身。她们都很棒，可我总感觉我必须时不时得提醒她们，让她们知道自己是多么富有魅力，多么富有才气——她们很迷人！她们迷人得不得了！——因为她们四十多岁，她们未婚，而且，她们并不成功。"

"你为什么会认为自己有必要把她们有多优秀告诉她们？"

"你非得这么做。显而易见的事。"他举起手中的棕色小咖啡杯，优雅地伸出舌尖舔了舔，放下咖啡杯，摆弄起餐巾纸。

"要是我四十岁了，你大可不必告诉我。"

他并没有对她的话作出反应，倒是有那么几秒钟，他的目光投向了一个角落，接着他说："那么，现在你糟蹋了谁的心呢？"

"你是指最近谁抛弃了我吗？我可没这么极端，富兰克林。"

富兰克林的笑容是他特有的狡猾与冷漠满意方式，与此同时她用嘲笑接受了他的献媚。

"其实吧，我有个女朋友。"她抓起羊角面包，就好像她要拿着它挡在面前扇动睫目来抛媚眼，"我们在一起一年半了。我们同居了。"

"康妮，这很好。超级棒。是你的新口味吗？"

"不，一直都是。只是如今变本加厉了。"

195

"你知道吗，如果她是个男人，我想我可是会嫉妒的。你们是在哪儿认识的？"

他们探索着进入话题的隧道，掠过当下，回溯到了五年前的那一幕，他们在一个校对小屋里相遇，康妮疲惫不堪地睡在桌子下，枕着富兰克林揉成一团的汗衫。几个月以来，每逢周末他们就会在那个小房间里筑巢，那里遍布着文学副刊、塑料的外卖容器，成箱的饼干还有赋闲在家时乱涂乱画的记事簿。他们就在这个地方，上演了针对性关系的冗长、反复的可怕讨论。"两千零一个噩梦的约会"，富兰克林这么称呼的——或者是她加上了噩梦两个字，可她记不得。隧道越挖越深，他们进入了一个人口密集的领域，老朋友、熟人、丑闻、回忆一并出现，仿佛是衰弱垂老的大眼珠动物停下脚步注视起他们，一眨眼就又跑开了。

康妮趁着富兰克林滔滔不绝的时候停了下来，抬起脖子纵览外面的世界。黑暗的咖啡馆里挤满了年轻人，他们身穿大夹克衫，装腔作势地蹬着整洁的鞋子。有一位美得出奇的粉色皮衣女孩似乎正在目不转睛地盯着他们。难道他们看上去就是可怜的老朽潮人？难道她的头发乱了？难道他们的说话声太吵了？富兰克林正高谈阔论他与另一位批评家在某家俱乐部进行的龌龊交易。她畏缩了，躲进了他那颗显然用之不竭的信心背后，再一次地钻进了地道。接着，额外的因素出现了。

"你知道，上周我与爱丽丝还有罗杰一起吃了顿晚饭。"他说，用手扯下了一小块海绵蛋糕。

康斯坦丝停止了挖掘："我以为你再也没见过他们。"

"什么？怎么了？"

"你与罗杰的大战是怎么回事？"

"什么大战？"

"就是你发表在《美国艺术杂志》上的关于他的文章。"

"哦，是那次。不过就是起了口角。我老是能碰到他。你简直不敢相信他们那座新阁楼。真叫个完美。"

这个人，康妮想，对任何事都不会太上心。她觉得自己的暴躁尖刻仿佛就是浮在咖啡表层的脆弱的螺旋圈。

"你该给爱丽丝打个电话——她很希望能跟你联系上。"

"爱丽丝和我不相往来了，假若你没忘记的话。"

"康妮，爱丽丝很爱你。她真的爱你。"

"放屁，富兰克林。她可是曾在背后捅过我一刀的。"

"噢，上帝，你们女孩真不可思议。女孩真不可思议。"

他们接着谈了别的，可是从这一刻起，坐在椅子里的康斯坦丝心绪却开始不安了，她不再觉得自己是这样的女人：一步一步迈入职业生涯的潜在成功阶段，爱情幸福，社交稳固。在好些个令人不快的瞬间里，她就是三年前的自己，孤独、寂寞、缺乏安全感，一个群居蠢蛋，更衣室里一条为失调者准备的毛巾，无法卖出一篇文章，不懂穿衣打扮。打起精神吧，她想，这还不算太差劲。

但是确实够惨了。他们走向收银台时，她哭喊起来，她确定周围的人都在看他们，还向他们抛来了白眼。

"后天我会举办一个派对，"他们边说边往外走，"艾米丽的生日派对。你必须光临。带上你的情人一起。"

"罗杰和爱丽丝一定会去的。"

"噢，别这样！"

"好吧，我也许会来。把地址给我吧。"

他找来一张碎纸——其实就是一张裂口信封的折页——他拿起一支紫色的钢笔写上了地址，三月的风将他的头发吹出了一个高雅错层的造型。一名黑色皮衣男孩经过了他们的身边，漂白的头发剃成沿着脑壳中央往下的一长条，他还煞费苦心地上了发蜡，这样就雕成了一条龙背。她感染到了一阵温情与慰藉，她明白孩子们仍旧在重复他们许多年前做过的事情，同时她还有一丝怀疑，她可不相信他们有能力发明出更多的东西出来。

"嘿。"富兰克林看着她，把纸片按进了她的手心，"还有啊康妮，我希望你知道。"——他的眼神透露出了暧昧的真挚和高贵，这是每当他准备谈论艺术或之类的东西时才会呈现的——"差不多去年一整年的时间吧，我老是想着你。我真的很想见到你。"

"是吗？"

"是的。真的。"他的眼神多情暧昧，可还是那么真挚那么高贵，她感觉他那棕色的眼珠可以脱离中心缓缓地徘徊完整个眼眶，而每一个伴随着绝对威严的动作都表达出了他深度的真诚。

"你本可以给我打电话的。"

"对，我本可以打的。但是我太害羞了。"他垂下了双眼，真挚在霎时不见了。

她伸出双手托住他的脸庞，凑上去亲了亲。"别烦恼了。"她说。

他们紧握着对方的手，表达了一些带有性意味的友情和祝愿，然后走了。

好吧，她思索着，见着富兰克林真让人高兴，不过她当然不会出席他的派对。这该多么令人沮丧。奇怪的是，她意识到自己的沮丧并不是源于他那些让人眩晕的诱惑企图——她从未浪漫到对他有过兴趣——反倒是她前任恋人爱丽丝的出现，仅仅只提及这个名字就足以将她推进轻微的怨恨里了。她的目光里有不满与耻辱，她目睹着那些穿戴整洁、着色滋润的陌生人朝她迈开了脚步。

爱丽丝和罗杰是她在曼哈顿最早遇上的"纽约客"。当康斯坦丝将小阁楼转租给另外两个女孩时，他们就意外地撞见了。她对他们的印象极其深刻。他们可真够俊美的了——金发高大的罗杰，随时都可能被后脑勺上那一簇顽固的卷发给激怒，爱丽丝呢，一头稀少光滑的黑发就像小甲虫褶皱的翅膀，协调的色彩与配饰缀满了她的衣服——泰然自若，安全无虑的表象。爱丽丝对她的计划问了很多问题，似乎在仔细地审阅答案中藏着的可接受度的迹象，而罗杰却友好地微笑点头。起先，康斯坦丝对此有些厌恶，不过很快她便难为情了，她发现爱丽丝最终的嘉许令她满意了。康斯坦丝与一位精神病患者在原先的公寓里共居了两天后被轰了出去，她带着忠告与一只巨大的装满衣服的"救世军"包——赶去请求协助，对此爱丽丝可是仁慈得异乎寻常。"别离开纽约，因为，"她说，"最初的几个月里，每个人都相互砍杀。"

她怒冲冲地上了通往公寓的五级楼梯，丢下钥匙，粗鲁地骂脏话，推开门后发现暖气开得太高了，猫儿们神秘地拼命乱窜，狄安娜并不在家。猫咪们围在她的脚边大声地骚动，而她正拿着开罐器与罐子搏斗，当她把冷肉和玉米谷物粒搁到它们面前时，它们为了抢占有利位置而吵闹起来。"哦，得了吧，"她说，"你们这群小子可没那么饿，猪。"

她走入起居间，打开收音机调到最喜爱的非商业电台，乐观得有些恐怖的小提琴乐曲袭向了她。她想：这必然是民俗音乐时间了。她咬了一下舌头，关掉收音机，在房间里打转开来。他们楼下的邻居急迫而响亮地吹着口哨，这通常会让她抓狂，可现在似乎它的友好熟识使得这一切纯粹得舒服和安心了。她开始在脑中列出了一张清单，她要列出爱丽丝曾对她说过和做过的所有事情。比方说，有一回康斯坦丝被剧烈的牙疼折磨得受不了了，她痛得神经都暴露了出来，于是她不得不中途放弃正与爱丽丝一起观看的电影。爱丽丝坚持要和她一起走，却在回去的路上抱怨错过了那场电影。"好吧，和你一起搭地铁的感觉很棒。"她恶狠狠地说，而康斯坦丝托着她的下巴，摇摇晃晃地迈向她的房子。

然而爱丽丝并不只是个直率的婊子。事情没那么简单。

她的邻居带着不祥的紧迫性嘎吱嘎吱踩响地板。康斯坦丝被那个可恶的旧床垫搞得委靡不振，她与狄安娜就着布料和大枕头把那床垫当成了沙发椅来用。这床垫让她很不满，因为这太像嬉皮士们的房里用的了，还因为在另一段生活里，同样是这个愚蠢的床垫，两千零一天的约会已经让它吱吱咯咯尖叫得够了。然而莫名其妙的是，她越来越依附它，即便它已经软得让她一屁股坐下就感觉她的内脏正——萎陷。此刻她瘫倒下去，用一只深凹进床垫的手肘支撑着身体，两眼审视起藏在桌椅下面的尘球。不管她和狄安娜打扫得有多勤快，这些生气勃勃的东西总会从一个角落潜逃至另一个，扬起的尘渣黏附在了猫咪们的胡须上。晚霞渐渐渗入，透过轻薄的浮尘，显得诡异并且褪了色，它以古怪的角度投射进了房间，至少从她躺着的位置看去，光线狭长而又荒凉。崩裂的地板在死气沉沉的尘球植被下越发崎岖、孤寂。

猫咪们突然警觉地奔向了房门。外面有脚步声，钥匙插进了锁孔里，狄安娜进门了，猫咪们堵住她的路。

"好家伙，楼下那小子今天发疯了，"她说道，以一贯的神经质姿势将额前的头发甩开，"你没喂它们吗？"

"喂了，它们两分钟前才把脑袋从碟子里探出来。"康妮尽可能保持优雅地从床垫里爬出来，她一把就环住了狄安娜的腰，头也顺势就靠上她的肩。

"这是什么？"狄安娜轻轻地摸到了康妮脊椎上的肿块，她的手指徘徊在骨骼之间。

"没什么。我就是昏昏沉沉的，这房间开始变得像《冥王星来的巨蚁》中的一个场景了。"

"什么？"

"我情绪有点怪。"

"我猜也是。"狄安娜轻快地帮她揉了揉，然后住手随即转向了冰箱，"我饿死了。我得吃点胡萝卜什么的。"

"晚饭想来点什么？"康妮的一条腿跷在膝盖上，貌似教科书上的土著人照片。

"我想我们可以去恩派订些中国菜。我太浮躁了，我无法做饭了。很显然，你的情绪也怪得没法做饭。"她从冰箱的蔬菜柜里取出一袋胡萝卜，开始在水槽上泡掉明亮的橙色皮。

"你怎么这么狂躁？"

"还不是因为那个垃圾货。如果我早知道我会为一个我母亲的翻版工作，我绝不会接手这活儿的。"狄安娜小心翼翼地冲洗了一下三个被刮过的胡萝卜，然后去浴室扯了一大张卫生纸，对折，把胡萝卜放上去让水分被吸干。（她有个癖好，康妮想来仍旧是阵温和的消遣，她对于食用湿淋淋的蔬菜或水果颇为反感。她惯例要弄干片状的水果，然后才会倒进麦片里。）

康妮耸耸肩膀再次倒进床垫里："我撞见了某个人……倒不是我真讨厌的谁，只是我一想起就会焦虑。"

"谁呢？"

"某个久违了多年的人了。你还记得我提过的富兰克林·维斯顿吗？"

狄安娜猛地咬下了胡萝卜的根："是不是以前和你一起做校对工作的男人，后来成了什么艺术批评家之类的准名人？"

"对。"芬克鼠，那只雄猫钻进了康斯坦丝伸手即捉的范围里，康斯坦丝一把将其当成长毛绒兔子一般抱上了膝盖，它的眼神兴奋极了，无力又无助的爪子荡在了半空中，"他牵涉到我曾经的一些朋友，那是在认识你之前了。我向你说过爱丽丝吗？"

"说过一点。"狄安娜说道，她还在乖乖地咀嚼着。

"嗯，她突然闯进了话题里，让我很沮丧。就这些。"芬克鼠一边吱吱叫一边在她怀里乱动，它粗鲁地挥甩自己无用的尾巴，然后跳下了她的膝盖，撞上了一只母猫的鼻子，"爱丽丝与我最后一次说话还是在三年前。那段时间里我犯了点错，什么事都不顺，我的写作糟糕透顶，我喘不过气了，更绝望的是，我得了厌食症。我害怕对任何人谈起这些事，不过最终我决定信任爱丽丝，便对她诉说了一切。富兰克林接着说'康妮，爱丽丝很爱你。'他愚蠢地冒出了这句话，我想，好吧，我们交往了两年了，于是我告诉了她。后来她讲，'康妮，没有人愿意和麻烦的人待在一起。'她说我应该去看看治疗师，然后她再也不联系我。同时她再也不回我的电话。"

"你为什么不对她嚷嚷呢？"

"我不知道。我没有那劲头吧，我猜是这样。我觉得自己全毁了。"

"听上去她似乎很不乐意让自己惹上麻烦。"狄安娜应声说。

"尽管如此但她确实也没什么事情可以不高兴的。她当时就有——

现在仍然有——一位有钱的丈夫、一栋漂亮的公寓、一种标准的社交生活。"

"嗬，得了。每个人都有自己的悲哀。多数人都为之恐惧。她听来只是其中之一。"

"那些衣服，那些欧洲旅行——能避开恐惧，我确信。"

"哦，总之，她真的算不上是一个好朋友。我想说的是，摆脱她对你百利而无一害。"

"我想是的。"康妮把自己拖出了床垫，她调整了个姿势卧入另一个角落。"这……这次谈话非常直接地让我想起当年的情景。也因为这事牵涉到了富兰克林。我不记得我是否提到过他，但就在爱丽丝的事发生前，他对我下了这样一个荒谬的诱饵，他告诉我说他有多爱我，我有多美丽我有多特别，逐字逐句地勾引我上他的床——真让人困惑，我可完全不相信他的话，最后真相大白，证明我是对的。一个星期之后他突然消失了，再次和他碰上就是两周后的事情了，他告诉我他要和一个叫艾米丽的女人结婚了，他做到了。"

"又一个可恨之人。"

"不过基于这一点，富兰克林算是我的一个朋友。他的确让我在《纽约》杂志上发表了文章。这就是一切糟透了的原因。似乎他和爱丽丝是同时决定——"

狄安娜放下胡萝卜，手指按住了康妮的嘴唇，两人都定格在了床垫的中央。"上帝，你一定伤透心了。我很多年没有听到你这样了。"她抓了抓康妮的头发，抚平了她的眉毛。她们就像鞋箱里的小猫一样绕缠在了一起，床垫咯吱咯吱地叫了起来。

"富兰克林邀请我去参加一个派对，爱丽丝也会在。我不知道该怎么办。"

"你还在想那事？"

她们方才吃完了外送的中餐。几个小号的白色容器在桌上一字排开，刀叉柄向上竖立在容器中间。从容器到餐盘，一路上都是稀稀拉拉变硬了的小米粒。小猫们踩着呆板却激动的步子在桌下打转儿。狄安娜依旧懒散地啃着排骨，喝着维他命 C。

"康妮，倘若那女人是个噩梦，你为什么不忘掉呢？为什么还纠结于她？她不再属于你的生活了。"

康妮望着餐盘，几朵亮堂冰冷的西兰花雅致地点缀在边缘。"问题是，爱丽丝和我有过一段美好的时光。我们看电影，喝咖啡，聊数小时的电影，分析每一个角色、姿势和配乐，等等。我记得有一次她点了凤尾鱼三明治和某种甜杏仁露，她说，'每当我们在一起的时候，我总感觉吃得太饱了，很有趣，但是对身体真的不好'。"

"哼。"狄安娜发出了声音。

"紧接着她与罗杰帮我付了机票的钱，于是我就去拜访了他们位于宾夕法尼亚州的避暑别墅。"

"那么你怎么不参加维斯顿的派对，顺便可以去见见她呢？"

"还有些额外的原因让我觉得她根本就不是我的朋友。我想起她说过的几场未曾邀我出席的大型晚会。她发牢骚，因为她希望高素质的成功男士与女士数量相等，不过她没法找到更多的成功女性了。她猛然才意识到，在我面前讨论这事实在是有些粗鲁，前提就是她甚至从未邀请过我，所以她解释道，'我没有想到你是因为你不属于那个圈子，你一定会感觉非常无聊的。我明白你能够以你的方式坚持自我，不过你却没法在他们的水平之上与他们交手。'你能想象这些吗？"

"康妮，你爱过这女人吗？"

"什么？"

"你和爱丽丝有一腿吗？"

"不。根本没有。为什么这么问？"

"从你谈及此事的语气来看。"

康妮暂时止住这个话题，她称赞了一下餐盘里三根长长的芝麻冷面线，它们用优美的姿态相互交叉。"好吧，那不是爱，至少不是浪漫的爱。我在男人身旁总是更容易显得脆弱，因为这是被允许的。而在性关系上，我也可以在女人面前示弱，可面对一位女性朋友，这却很难做到。对爱丽丝我做到了，她却拒绝了我。"

狄安娜若有所思地吸吮一块排骨，一边还无虑地眨巴着大眼。

康妮的一条腿蜷在椅子上，身体坐上了脚踝："我们曾看过一部电影，讲的是一个总是轻信他人的哑巴少女，在被一个急躁卑劣的精神病患者缠上后最终被他拷打致死。"

"很棒的电影。"

"嗯，我们之所以会看是因为那个女演员隆了胸，我们好奇硅胶的长什么样。总的来说，这电影扰乱了爱丽丝。她不停地唠叨，'那女孩可真蠢，她该死。你不能对她有一分的同情，她是如此懦弱'。"

"那是正常反应，你懂的。"狄安娜从白色容器里又拔出一条红色排骨，灵巧的牙齿开始咀嚼骨头上的肉。

"好，也许不是吧，但她真的为此困扰了，哪怕只是一个可能会有人丧命的念头就让她恐慌得要命。"

"好吧，那是害怕。"

每当狄安娜的心里有了某些邪恶的信任，她的声音里就会冒出恼怒惊恐的腔调。

康妮转身望向了通风井上的窄窗，一面黑砖墙和一扇劣质的小窗户盖住了肮脏的硬纸板和粗糙的窗帘。那只常飞来的脏兮兮的肥鸽子将蒙眬的眼珠定格在了对面的窗台上，它就是一只死不悔改的皮冬客。她们刚搬来那会儿，康斯坦丝只要看到这种场景就会格外卖命地工作，那和如今骇人的沮丧截然不同。"只是看看，"她告诉自己，"别下判断。"

"你得知道，你有一种将自己的脆弱猛摔到别人脸上的能力。怎么说好呢，或者你称之为脆弱的东西吧。有时候你一遇上谁就立即这样做。你迫使人们去应付它。"狄安娜的语气很激动，但是说得恰如其分，她的话就好比整洁的香草色土豆。

"狄安娜。"

"不，听我说。我说了这些你可别生气，别跟你以前一样。你现在可没原来那么过分了。但你以前经常这样。而这样被迫面对别人的脆弱，会让人觉得有点儿怪。有些人会想要保护你，比如说我，可还是有一些人会伤害你。而另一些人仅仅只是害怕你，原因很明显，这让他们想到自身的脆弱，比如你的朋友爱丽丝。"

康妮提起双脚抱膝而坐，眼睛又一次望向窗外。没错，到了夏天，通风井就会呈现出异常诗意的一面。公寓里的空气如沼泽一般沉重得让人窒息，在这种日子里，喧嚣与气味轻轻飘到阵阵的热气里，各种声音与收音机片断混杂在一块，奔放洋溢，游移的争吵声与色情的喘息声，隐约的、某家晚餐的油炸气味，这些模糊了的元素像一首曲子溜进她们的公寓，把她们跟楼里的其他人联系在一起。当然了，这种关系是否能带来快感都得取决于个人的心情，同样还有一些额外之因。去年夏天，楼下的单元转租给了一个男孩，这小子会在喝醉酒时模仿她们做爱的声音。

"我让你难过了吗？"狄安娜问道。

"不，不。"康妮抬起头，"我明白你的意思，但那和爱丽丝的情况不一样。我从未在她面前表现过脆弱。而且你的话我不敢苟同。我也许会那么对你，因为我对你有感觉，但一般情况下我不会。"

狄安娜耸耸肩："唔，我只知道我所看见的。既然看你这么苦恼，我也只是想方设法要帮你找到一个答案。"她站着整理碟子。她的手指与手掌，康斯坦丝打量着，拥有一览无遗得奇冷却敏感的质地，就像小狗的鼻子吧。她看着她收拾桌子，把碟子送进厨房，她能目睹她的情人无论是自告奋勇还是胆怯后退的每一面。她死板倔强的手臂，她强壮的肩膀固定成柔和的曲线，她永不屈服的下巴，她光亮的额头，她犹豫不决的古怪，她漫步向前的温柔——所有的语言都一层层地折射出她身上的敏感和悲痛，还有那光鲜亮丽的扇形才智。

她在午夜中苏醒，梦魇中想起了富兰克林。"我爱你，"他说，"我从未像爱你这样爱过别人。""我不明白你的意思。"她说。"他发神经呢，"他的朋友这样说，"富兰克林式的狂热，仅此而已。"要是她去了派对，那么会发生什么事情呢？他会不会为她倾倒，大肆地诉说着见到她是多么高兴，在接下来的夜里却消失不见了？这会不会伤到她？她设想爱丽丝站在一张惨遭掠夺的点心桌边上，手里举着装有酒的塑料杯，一顶帽子雅致地立在她整洁亮丽的头上。要说爱丽丝完全不幸福那也不属实。她的母亲患有精神分裂，正住在州立的精神病医院（爱丽丝的家庭并不富裕），有时候她根本就不能认出她女儿。爱丽丝意识到自己无法以一名艺术家的身份被圈子里的人接受，有时候她甚至焦虑到了惊声尖叫、乱扔东西的地步。"我觉得自己就是一坨屎。"她曾这么对康妮说。

康妮翻过身，肚子与胸脯贴到了狄安娜温暖的背上。她记起自己第一次迷恋的女人，是一位黑发碧眼的脱衣舞娘。她去看她跳舞，不可救药地为之感动，她逆来顺受却无比傲慢的下巴线条，她随意地展示着自己的身体，却又谨慎地保持距离，此外还有那件俗气的黑色内衣。

"你并不爱女人。你只是在尝试一种本由男人发明的色情幻想，附带着你能找到的最硬最长的道具。"一位女同性恋曾经这么对她说。

她又翻了个身，将背弓回与狄安娜一致的弧形，然后彼此贴住。在孩提时代，她的母亲就说过："男孩们起了冲突，只需要打一架接着

211

关系又好了。但是女孩们就恶毒了。她们假装是你的朋友，但却会背叛你。"她记得自己作为新生进入小学的时候，试图融入骨感的小女孩们之中，嚼着口香糖，谈论一些她从未找到过意义的事情。她看见自己独自坐在一家高校的咖啡厅里吃着薯条和船长牌栗米糕。

她睁开双眼，刚好见到了陶瓷暹罗小猫的大耳朵，这是她十二岁时姑妈送给她的礼物。那一刻她觉得它与它自己的一窝陶瓷小猫体现出了一种优雅和品位的高度，即使它的脸破成两半再重新黏合过，它依然具有低调的庄严与美丽。它们曾被爱丽丝嫌弃，她看着康妮的梳妆台说道："总有一天当你想起床的时候，你要看看这所有的一切，告诉自己，'这些与我无关'，然后把它们扔出去。"

但是却有一些事情与我有关，康妮想。

第二天，由于突如其来的剧烈牙痛让她不得不走出了办公室。她觉得这可能是心理作用，源于回忆起和爱丽丝在剧院里的那段神经暴露的插曲，但是牙医向她保证并非如此。

"不是，不是，不是。这是真实的事情，没错。你的口腔刚好出了问题，就这样。只不过事情都接踵而至罢了。但这不是牙根管的问题。仅仅就是太多东西塞进了牙缝里，塞得太深了。"他拿起针筒给她注射，她痛苦至极，"我真奇怪了，之前这玩意儿竟没弄痛过你。它简直就要伸进你的肚脐了。"他又给她来了一针，她痛得呻吟起来，而他则想方设法要让她闭嘴："不用担心的，不过，好在我们即时发现了。"他用力地转了转椅子，缜密地着手操作起尖口钳子。芬格里医生苗壮的前臂上散布了浓密的毛发，他的手掌有些古怪地接在腕关节上，间距不齐的手指暗示着它们各朝不同方向的过度操劳。他个头并不大，但当他走起来时，他甩动的手臂和肩膀真像极了坦克的履带，似乎突然需要更大的空间。

"好了，现在，我们要给你注射一些——"他的脸逼过来，让她产生了一种烦人的感觉，仿佛他脸上那愉快、多孔的亲密，要用让她张大嘴巴的预谋和强大的欲望，来摘下她的下巴。

"氮气如何？"她问。

他退后了几步。"噢，我忘了，你喜欢这个。我反复地告诫过你，它在吞噬你的脑细胞，不过你若想要——"他猛地转走自己的椅子，"卡拉！卡拉，给我拿点氮气过来好吗？"

卡拉，一位黑人姑娘，有着一顶小小的鼻子，还涂着厚厚的睫毛膏，她推了一车熟悉的灰色遗弃物走了进来，一顶脏兮兮的冷橡胶面具架到了康妮的鼻子上。"我们开始了，"芬格里医生说道："把她抬高一点，卡拉。我们会帮助你舒服一点、放松些的。卡拉，去拿2-6号乳膏。"

康妮合上了眼睛。一阵暖气缓缓地在她头上扩散。她想起小时候看过的"奇迹面包"的广告，讲的是一个幸运的小男孩被善良的蝴蝶带到了奇妙面包国，那里遍地都是鲜花、云朵和面包。

"唔，康妮，你结婚了吗？"芬格里医生问道。

"没有。"

"没有？我很意外。你几岁了？"

她像海星一样躺在椅子上，她想象他的声音、器械的叮当声、椅子的吱吱作响，轻薄的光线渗透至她的身体，穿进她的骨头，欢快地在她的骨骼间上蹿下跳。她想象着宇宙间有一股包含一切错综复杂性的所有生命力，渗透到了她每一个毛孔，成百万束光电充进她的身体里。她深深地呼气吸气，她热爱一氧化氮。

"好了，我们真让你飘飘欲仙了。感觉太棒了，是不是啊，康妮？"

康妮试着解决掉口中的唾液，好让自己发出赞同的声音。她能听出有少许的油滴落到芬格里医生的嗓子里，他欣然地看着他的病人无助地张着嘴坐在他的椅子上，这便让他感觉到了自身的威力，实际上那一刻的他的确很强大。好吧，一切都没问题。宇宙里的确是需要一些空间来容纳那些力量。它喜爱并且尊重那些空间。

"会有一点点疼……好了。"他捏住她的嘴唇扭了一下。"感觉不错，是吗？我敢打赌我们今天可以把你所有的牙齿都拔光，你会非常舒服的。不过，我们当然是不会这么做的。"他轻轻拍了拍康妮的肩膀，"小事一碟吧，一分钟也花不了。"

问题是，如果是你像海星一样躺着，任凭宇宙在你的毛孔里渗透，各种物质都可以进入。你该怎么阻挡那些有害的东西？"别像个基督教徒似的，"富兰克林说，"事情没有对错，它们就在那里。"好吧，那整个又是另一条思路了。它像一个紫色微生物蠕动着进入她的空间，她却粗鲁地将它赶走。她试图想象出一股有选择能力的灰色力场降落到她身体中可能被有害物体侵入的各个分点。她困惑了。富兰克林并非全错。佛教徒与他人都站在他这边。不管怎样，即使你不同意他，你又如何能断定哪些事情是坏的呢？小橡皮管从她嘴里吸走口水的滋味让她很不好受，外加那钻孔的噪响。不过它们的本质并不坏，只是太过干燥以及刺耳。干燥与刺耳是怎么从宇宙里转化而来的？这些元素必然影响了她的一氧化氮体验之旅，但这是怎么做到的呢？

芬格里医生往她的牙齿上施加了恰当牢固的压力："卡拉，把剩下的钻子给我好吗？"

接下来就是一些基本步骤了。她想念狄安娜柔软中带点小丰满的怀抱、苍白的肌肤、严肃的嘴巴，而倾斜的重框眼镜让这张镇定端庄的脸庞似乎有点滑稽了。这也是基本步骤之一，黑夜里就着一条毛毯躺在亲密爱人的怀抱里，产生属于"性"的感觉和附带的情绪。对于她这是带着慰藉的期待，类同于一个精疲力竭的人看到了一只硕大无比、足以信赖的枕头。你明白这是什么，每个人都明白。正像每个人都知道"工作"与"成功"意味着什么。为成功而奋斗的人们从事着最原始的事情。她曾经看到过有关实验室小白鼠抗争的事儿，而生存的前提便是合作。她想起自己在桌前审稿。她看见自己拿起听筒，告诉某个版面的编辑自己即将完工。她回顾着似乎比幻灯片快照更抽象的景象，她依旧感同身受。它们就像潦草地写在日历空格上的提醒。就像祈使语句"打电话约芬格里"，它们仅仅是最显而易见的符号，不过是某些事物的原初符号，只因其复杂到无法在给定的区域间进行描述。她坐在桌前打字的影像成了为"工作"而下的潦草注释，但工作不过又是另一项注释，在她隐约的感知中，工作仅仅是在一片不可读的网格中来回交错的一团黑暗元素。

　　她努力摆脱"工作"领域，她看到了自己与朋友海伦在标记为"社交生活"的领域内共进午餐。海伦在谈论她的男朋友帕特里克，这个男人前一夜差点把她给勒死。"我不想听别人说我有多么不值，"海伦说，"去年，在乔治揍了我之后，我记得自己告诉过一些女孩，她们不断地重复说，'海伦，你值得更好的人。'这话太蠢了，我是说，这话算什么呢？"康妮试图回想起自己是否曾对海伦说过此类的话，听起来她很可能也说过。也许这话说得确实愚蠢，但似乎又是应该说出来的。海伦的脖子上仍旧留有暗蓝色的淤青。"之后我对他说，我说，你刚才是打算伤害我吗？"

这幅图像——海伦以手握餐具与香烟的姿势冻结了——后退至流动的精神领域中的另一暗角，因而其余的场景才能正好挤满影片。那儿有康妮，有时候与狄安娜在一起，有时候独自一人，在一家夜店里，一名男子正对她说着："戴着这顶帽子，您看起来就像在钱包里揣着整个世界。"还有就是在酒吧和派对上，身边尽是一群打扮精致的陌生人，当他们拿着酒向她渐渐靠近时，他们便会将个性当做武器与盾牌一般挥舞。

她在朦朦胧胧里从所有的事物中撤退了出来，那些只不过是她生活的实质，而她站在了远处观望。工作，社交生活，人际关系。这些真的是她每天都要做的吗？她现在身处何处，从这里到那些骇人听闻的事物有多远？这个距离感觉就像是一片空白的空间，寂静空旷，如此孤单，要是她忘了这些不过是拜氮氧化合物所赐，她可能已经哭了。

她睁开双眼，望向芬格里医生下巴边拘谨的黑发，接着望向他平和的、做着白日梦一般的灰眸子。之后她的目光遇上了光亮却色调单一的仪器，这对于她便是禁忌，却很可能之于他便感觉熟悉自在。她将目光移开，遇上了卡拉的褐色眼睛，它们仁慈，就像松鼠的眼睛一样明亮。卡拉在他办公室的工作是否也是她的一组符号，或者它本身就是完整的实体存在，一系列有效的行动与作用就从她的需求与才能中自然地暴露了出来，仿佛一束魔术纸花在你不经意的时候突然绽放了？

"一切都好吧？"卡拉问。

康妮发出了微弱的呻吟表达了肯定。

卡拉的嗓子里传出了一些淫荡的笑声。"她现在的确很享受。"她说。

"我们差不多快好了，"芬格里医生说道，"还剩下一点儿……"他做了些无聊又疼痛的动作，她的嘴巴里满是令人反胃的味道。

她返回自己的办公室，人稍稍有些昏沉，这样的状态既旺盛又无常。她在洗手间停下了脚步，她站在镜子前，毫无自信地悲哀起来，她发现自己一侧的面孔掉入了双下巴般的绝望处境，她的双眼倦怠凄惨。她给自己的脸上又补了点妆，然后才进入办公室。幸好只有三个人在那儿，两位助手和一名挺招她喜欢的同事。

她的桌上有一本纳入出版考虑的小说副本。她读过两回后便拿去了副编辑办公室。

"斯蒂夫，"她说，"您喜欢吗？"

"你的嘴怎么了？"

"别管它。我看上去好像是痉挛了，但不是，我就是去了趟牙医那儿。您喜欢这书吗？"

"是的，我喜欢。它——"

"不，我说真的。说实话吧。您喜欢它吗？"

斯蒂夫看似有些被激怒，他被逼入了困境，接着他开始自我调整："是的，康妮，我喜欢它。它精简，离奇，哄骗得你还以为自己是安全的，随后你才发现自己站在了悬崖边上。"

"嗯，和我们出版的任何东西都一样。"

"康妮，你指望我能说点什么呢？我明白你为了我们的出版物而备感灰心，但是福尔福德喜欢它们。对此我完全没有异议。"

"可我觉得您真正喜欢的是我几周前给您读过的东西。"

"我是喜欢！我非常喜欢它！可是福尔福德不喜欢。"

"他从不认可我喜欢的东西。我都不知道他为何要雇用我。"

"您不喜欢的东西太多了。如果您对小说进行了吹捧，他们会说：'二流的！胡言乱语的康斯坦丝·韦茅斯。'"

"您热爱一切。"

"我时刻准备好去热爱任何事物。那是真的。"他靠上椅背，朝后仰起了脑袋，似乎他正在参加一位面目可憎的狂热主持人的脱口秀节目。随后他又猛地将椅子往前移，他笑了。

他们又聊了一会儿，斯蒂夫觉得一个选文的质量大多取决于你为之附上的参照系。康妮可不同意。他们开了些玩笑，康妮便回归自己的小隔间了。她安静地坐好，下巴开始有了知觉，她观赏起某位助理身着劣质针织衫的背影在桌前左右摇摆。另一位助理是年轻漂亮的女士，她对自己的所作所为坚信不疑，她从办公室的一处走到另一处，这就搞得她心烦意乱，康妮思索着，要是心态好点的话，兴许在缓慢、可预见的情况下，她会从身处有意义活动的人们中找到慰藉。此刻她的氮氧化合物之旅却招致了不协调的反射，她经历了一趟疲惫的闪回，重见她憔悴的自我肩负着人生重担，一切压缩成了鲜亮彩色的包裹，上面标记为"作家康斯坦丝"、"社会分子康斯坦丝"、"两性生活中的康斯坦丝"——任何一层面的康斯坦丝都独自待在房间里，在夜里等候狄安娜，躲在毯子下，双臂紧紧裹住自己。她看到的每只上了记号的包裹都是她来来回回携带着的砝码，她随即拿起一个砝码随意地安置它，于是她便可以拾起另一个砝码蹒跚地迈入新方向。

她将脑袋搁在了桌上。

下班回家的路上她决定要去参加富兰克林的派对。

"为什么？"狄安娜问她，"讨论的结果？"

"因为我感觉我必须终止一次循环了。也许我能在喝醉后给爱丽丝一拳。"

"你是在说笑吧，但愿这样。"

"不。可我会盯着她看让她不敢与我对视。"

"好吧，如果是明天的话恐怕我不能与你同去了。我必须在九点去和我母亲吃饭，之后再参与社交活动恐怕就不合适了。"

很显然，派对在她到场前的一两小时里就已经进入了高潮。似乎人们各自的小组织，是以能在去厕所的路上揪住谁的胳膊来决定的，他们倚靠在墙上，女人们不断地点头。当她迈入屋子的中央时，有几个人转过头对她致以暧昧欣然的微笑。她想她认出了正在角落里翩翩起舞的孤独情侣，在温和的专注中她垂下了双眼，而他们则轮流扭动臀部来改变重心，手轻轻地围住整个腰部。她认出了歇斯底里的蓝眼睛男子，他手里抓着一大把油腻的花生，正挑衅地踱步打转，视线却朝向了另一条路。

"康妮，唷！"富兰克林出现了，他的头发掉入眼里，毛孔豪放地绽放开来，"您来了！"他们握了手，伴随着几下"么么"声，吻落在了各自的脸颊上。

"您的女朋友呢？"

"噢，她家有点事儿。"他们靠得很近，趁着富兰克林的目光越过她的头顶之际，康妮迅速地扫视了一下屋子的后面，"嗨，戴夫，我正打算趁你还未离场前找你聊聊呢！康妮，酒在那里，厨房里还有蛋糕和吃的东西。别消失哦！我要给你引荐一些人。"他捏了捏她的肩膀就走人了，她钻进喧闹的深处，走向那些摆设极不协调、微微反光的酒瓶与斜塔状的纸杯堆。她走近桌子，手伸向了一瓶窄口的伏特加酒，这时一位女士转过了身来，是爱丽丝。在随之而来的宣言里，惊讶、热情与怜悯三者均衡齐整——"康妮！"——这便暗示了爱丽丝早已为此作过准备。她的上半身有些迟疑地半弯下来，这似乎是拥抱的第一步。康妮半鞠半躬报以回应后停住了，爱丽丝也跟着停下，暂时静止中的她们互相凝视，再慢慢还原到先前的距离。康妮想知道爱丽丝是不是正在检阅她眼角的皱纹。"你过得好吗？"她问，"你的画怎么样了？"

"很好！我是说，我可比先前认识你的时候高产得多了。我恨不得只用二分之一的时间。"

"你是不是还在怨恨罗杰的成功？"爱丽丝斜眼看着她，某种表情在她的脸上一闪而过，犹如一只滑翔而过的小鸟。这要牵涉到她们很久之前的一次谈话了，那是有关于罗杰的商业成功与爱丽丝苦涩的嫉妒。

"是的，我恨，但是我能调整好。就这点来看我可不是个泼妇。我的生产能力让我放松了许多。"她们并肩站着，回忆里的亲昵成了联系她们的敏感膜，"我听闻你的创作很顺利。"

"对，是这样。"康妮列举了这一年里的成就，一个招人厌恶的时刻来临了，就像从乡下来的小女孩在傲慢的爱丽丝面前显摆。这次对话并非她所计划的那样。她们的谈话给人的感觉太像是刚在一场派对上相识，或许因为她们原本就是如此。"那本杂志一开始的确很有意思，"她接着说，"但现在我在那里并不开心。我并没有如想象中那样产生过影响。另外，它还没有报酬。"

"话虽如此，那里仍旧是个不错的地方？建立某种人际关系？"

"是。"

她们站着凝望至不同的方向，此时各自的小组织开始在异常的音乐与派对喧嚣中溶解。康妮瞥了一眼爱丽丝，细纹和微干让她的皮肤有些脆弱，但骨架和风度依旧，好比直视了一辈子闪光灯的时装模特儿，脸上写着端庄与不可一世。

"你母亲怎么样了？"康妮问。

那种"倾诉"的表情又一次闪过："她几年前就死了。就在我们的最后一次谈话之后。"又一种线状联系在她们之间伸展开来，不过康妮不能肯定那是什么。

"你一定很不好受。我很抱歉。"

爱丽丝转向她，康妮看到了另一张脸浮现出来，那张脸隐藏在泰然自若的派对表情、精致眼妆与姿势之下。她不确定如何为之定义，不过看起来像那种花了很大的工夫、比照着时尚杂志上的模特来学习化妆的年轻女孩的脸。

"对，很艰难。你还记得那些情况带来的变化。某种程度上来讲我解脱了。但真的糟透了。"

有人调大了音量，音乐跳进了她们之中。

"你的父母如何了呢？"

"好多了。"康妮点点头，"他们复合了，似乎分离让他们冰释前嫌。看来他们是重新相爱了。"

"是吗？真好。"爱丽丝侧身从桌上攫了一块大土豆片，然后用它挖起一大口绿色酱。康妮找到一只干燥的纸杯倒了伏特加。她在寻找一瓶彩色纸盒装橘子水，随后突然闯进的一段对话就隔开了她们。康妮不得不卷入了另一番聊天，有一位非常年轻的姑娘极其想探讨她所效力的那本杂志，吃着花生的康妮极力闪躲那海蓝宝石一般的凝视，却让爱丽丝给盯上了。几分钟后，在屋子的对角，她们终于又安心地走到了一起。

"富兰克林说你现在和一位女士住在一起。"

"是的。"

爱丽丝的双眼显灵一样突然亮了起来，她从未能理解康妮狂热的风流，也不能理解康妮断然地回绝掉她所介绍的男子，不过现在有了最简单的解释：康妮是同性恋："感觉好吗？"

"是的，很好。我真心爱她。"

"我很高兴听到这些。"

"你和罗杰进展得怎么样了？"

爱丽丝耸耸肩，扭头望向了别处，"还行，我猜吧。最近我们并不太亲近了。他有了别人，真的。我想他今晚是与她约会呢。"

"噢！"

"这可不是存亡之际。我想这样可能对我们都好。我的兴趣是在自己的事业上，不过眼下身边并没有人陪伴。罗杰总有许多接近单身女孩的机会。他可了不得，这你是清楚的。"

爱丽丝脸皮的表层又起了变化，有一霎，康斯坦丝仿佛感觉是见到了昨晚的镜中人，也就是在看完牙医之后的事儿——那半边脸警觉地思量着世界，满怀期待与信心，而另半边却因为失重而跌落。这双眼睛诉说了一位卑微勤奋者的疲惫和敌意，她的肩上扛着自己的人生，这种人生如同一套符号与场景，她既超然其上又能驾驭其中。

"你想继续维持你的婚姻吗？"

"噢，我想。我是指我和罗杰的婚姻就像……我永远不会抛弃的项目。我希望尽快能生个孩子。"

康妮望着她从下巴和倦眼中流露出的忧伤，她很想伸手去抱住爱丽丝安慰她。然而不知是脸还是知觉起了变化，她再次看到了一位美丽自信的富婆，那位富婆有一双优雅、好奇却无法识破的眼睛。"你知不知道我们搬家了？我们在索霍区买了一套非常棒的公寓。我们很快就会举办一次派对。我应该邀请你前去的。"

"噢，爱丽丝！"一名身穿涡旋纹花呢上衣、像根棍子似的男子笑呵呵地扑了过来，一把就抓住了爱丽丝的手肘。"我必须把阿历克斯介绍给你，……你好，"他对康妮说，"你也是画家？"

康妮否认了，爱丽丝用手指轻轻地示意告别，然后去见阿历克斯。康妮端着酒走进另一间房，她拿了一大块巧克力蛋糕立刻就吃起来，不断地有蛋糕屑掉落到地板上。有位男子问她是不是作家，她随即就与三位不同的人物开始了醉醺醺的交谈，然而却几乎无话可说。终于富兰克林的出现打断了这一切，他的眼皮厚重得发紫了，他向她伸出了手："有一名女士你必须去见见。她的才智惊人，是《纽约客》的一位作家。凯西！凯西！这位是康斯坦丝·韦茅斯，非常优秀的作家，据我所知也是最杰出的作家之一。你们会有许多话题的。"

她面前的是一位引人注目的灰发女子，碧蓝的大眼睛瞪着她，有些犹豫但够勇敢的。康妮与她握了手，她们相互交流起杂志的八卦，有一种可能性正在逐渐明朗化，这便是伟大的友谊或许就能在她们之间滋生开，不过此刻的环境却阻碍了它。

另两对情侣如波浪一样起伏着移动到了角落，康斯坦丝沮丧地将视线分散到了他们的身上。他们稳健的脚步既不优雅也不灵活，但是笨拙的动作里却注入了亲善和友好——向外伸展的手紧握舞伴的手，瞬时的眼神交会——温柔、褪色的浪漫让康妮很想回家，很想和狄安娜在一起。

她发现富兰克林陷入了雕塑与利比亚这两个话题之中，她草草地道了声别。正当她穿外套的时候，笑吟吟的爱丽丝转向了她，她的一根手指还点在涡旋纹花呢男子的脸上。"你要走了吗？"她匆匆地穿过来，"你能等一会儿吗？我马上就走。"

康妮感觉她的眼里闪过一道渴望之光，不过很快就消退了。她迟疑了。

"好吧，如果你很着急的话就先走吧。不过我得给你张名片。"爱丽丝的手里备好了一张商务名片，"这是我们新的号码。为什么不联系一下呢？"

她们说见到对方都很高兴，她们进行了更别扭的拥抱姿势，却更满足于双手的紧握。

康妮走了三个街区，没有叫出租车。"你以为你知道自己在做什么，可你并不知情，"一名蜷缩的醉汉提醒了她。她给了他一美元，继续向前走，心里默默地承认他的话。她为什么不等爱丽丝呢？"爱丽丝爱你，康妮。"富兰克林说过。对面街道的一对情侣正靠在破败的砖墙上拥抱，男人的手伸进了女人的短皮裙里。是因为她终止了一个循环，所以她们将不再是朋友，康斯坦丝这样思忖着。她在一只塞满垃圾的废纸篓前停下脚步，从口袋里扯出了爱丽丝的名片。她打算扔掉却又改变了主意。你永远不懂。有一天她可能会突然想起这张名片，并且想着不妨与多年不见的人聊聊天。她把这片小纸板放入口袋，招呼了一辆出租车，车在街上呼啸着，像一头绝望的野兽。

黛西的情人节礼物

浪漫周末

美妙不已

篡改之恋

联系

斯蒂芬妮的尝试

秘书

额外之因

● **天堂**

每当维吉尼亚想起他们在佛罗里达的生活，就会感觉被一抹蓝绿色热带的阴影给笼罩了。海水包围了一片白色的沙滩。海星横卧在岸上，龙虾笨拙地溜达。那儿有一栋蓝顶的白房子。前廊上的锡罐里装了一些发臭的蛤蜊和小龙虾，它们在罐子里原地打转，触角轻轻蹭刷着罐子的侧壁。是她的儿子查尔斯把它们带过来的，他和他的兄弟丹尼尔时不时地就要蹲下去观察。

　　她想象她的小女儿们穿起红色短裤，用橡皮筋将金发束在脑后。当她们跳绳或者互相追逐的时候，长腿上的肌肉也跟着一起颤抖，她们每踏出一步，橡胶拖鞋都会一同轻打她们脏兮兮的小脚踝。家庭野餐就陈列在前院里的一块旧拼布床单上。西瓜汁流进他们的袖子里。

　　贾罗德在大海中一把抱起玛德琳，所以她才可以毫无畏惧地踢溅水花。他大笑，他面红耳赤，他的头发浸在湿漉漉的脊梁上，撑起了那个巨大却英俊的脑袋。

　　二十年后，回忆起佛罗里达，维吉尼亚感觉到的是一股带着疼痛与迷信、然而虔诚的惊奇，仿佛那是她还未知晓就已被剥夺的天堂。当她待在了新泽西的家里时，几乎每个夜晚，她都会躺在睡椅上念叨起佛罗里达，而面前放置了一台嗡嗡作响、模糊不清的电视机。她的头靠在一只硬邦邦的枕头上，眼睛穿过落地窗户望向了黑压压的后院，生锈的烧烤架上还零星地泛着光。她感觉若是他们一直住在佛罗里达，那么她的儿子一定还活着。她明白这个假设毫无意义可言，不过她的确就是那样认为的。

维吉尼亚和莉莉相遇的时候，这位十五岁的外甥女就告诉她："外婆总对我们说起你。她说你会在后院里摘橘子。她说你曾在客厅里找到了一只在爬行的龙虾。她说龙卷风来了，你的房子会被淹没，可怕的蛇会钻进屋里。听起来你浑身上下充满异国情调。你似乎不可能和我们扯得上什么关系的呀。"

她们系着安全带，坐在暖暖的车厢里。维吉尼亚刚刚在纽瓦克机场接到了莉莉，因为莉莉将和他们住在一起。

维吉尼亚被她的评价给哄住了。

莉莉的母亲来看贾罗德和维吉尼亚。自打维吉尼亚上一次长时间与姐姐相处，至今已经过了差不多八年了。

安妮有一头棕色的头发，长得很瘦小，不过她的两位妹妹却满头金发、身材高大，这孩子神经紧张、谨慎得怪可怜的，似乎永远都忙着熨衣服、洗衣服或是抱了一捆书去往某个地方。她的小嘴会抿成一道严肃的线条。灰色的大眼透露了她的茫然与天真。她常常是一副就要撞上墙的样子。

由于安妮要年长五岁，于是每逢周末，母亲就会把照看维吉尼亚和贝蒂的任务交给她，而母亲自己得去莱克星敦给一户有钱人家打扫房子。安妮热情地接受了。她早早地起床为她们备好早餐的鸡蛋和牛奶，她小心细致地布置好餐桌，用三叶草连环绕着盘子。维吉尼亚和贝蒂被安妮从被窝里拖起来时总是怨声不断，她们嘲笑她一成不变的例行早餐。她们还拒绝帮她洗碗。

安妮只与博学多才的男孩子们约会。她郑重其事地耗费时间与他们在走廊里手拉手探讨人生。之后她会跃上楼梯，目光里燃起炙热的欲望，面色和煦的脸上因喜悦而绯红一片。妹妹们会取笑她，有时候甚至还把她弄哭了。

到了四十八岁，安妮开始变得丰满、平凡却自信十足。包裹住眼周的皮肤渐渐松弛，她还戴上了米色框架的眼镜。她的眉毛越发浓密，苍白的肌肤却颇显年轻健康。

在这一段拜访的日子里，是安妮为贾罗德与玛德琳提供了引人入胜、栩栩如生的话题。游独木舟和烧烤的时刻，是安妮的放声大笑逗得他们乐呵呵的。维吉尼亚沉默温顺地端坐，怀着一丝爱意饶有兴致地留意安妮。她知道安妮是在支援她。安妮曾被告知说维吉尼亚并没有从查尔斯的死亡里彻底缓和过来，于是她赶来为这座被阴影笼罩的房子捎去些光明。她决意要让维吉尼亚振作，正如她决意要拖地板或者逼他们吃早饭一样。

抱着同样坚定不移的心愿，她曾经想接近莉莉，帮她调整。

莉莉出现在维吉尼亚的生活里得归功于安妮一连串的深夜电话和狂热信件。这些信件充斥着三连写的感叹号、荒唐的破折号和小圆点，替代了断句、粗鲁的划线词语、庞大的螺旋体大写字母，而这字母拖着的小尾巴会伸到数行之外。"莉莉太沉默，太抑郁。""莉莉交了一些非常古怪的朋友。""莉莉充满敌意。""我觉得她可能在吸毒……""我想她需要帮助——乔治很反感——也许需要个顾问的推荐信。"

维吉尼亚想象那个乳臭未干的小孩与她斯文的姐姐对质。另一个被宠坏了的漂亮女孩将自己幻想成吉普赛的公主，赤脚，剔透的水珠熠熠发光，乳房高傲地摆脱束缚，漫不经心地恋爱。就像玛德琳。

"我想和布莱恩举办一场吉普赛婚礼，"玛德琳说过，"我希望把婚礼设在家后面的山脊上。朋友们高唱颂歌，围绕着我们环成一个圈。我会以一袭真丝长礼服和轻盈的面纱登场。我们还将提供一次盛宴。"

"布莱恩愿意娶你吗？"维吉尼亚冷冷地问她。

玛德琳十七岁。她在离家一年后终于回来了。她背着一只肥硕的绿色帆布包。双脚肮脏不堪。"我回来是为了清静一下。"她说。

她的早餐是丰盛的鸡蛋加培根，她在烘烤完大量的香蕉面包后就会躺在小房间里玩起塔罗牌。家庭生活就环绕着那她盘腿苦思的形象展开了。金色的长发流淌过她的脸庞。她带着恼人的优雅满场游窜，牛仔裤嗖嗖地刷过地板，嘴里哼唱着岛屿中的女子。

六个月之后她"决定"嫁给布莱恩，然后前往温哥华通知了他。

维吉尼亚对她的离去满是欢欣。然而，即使玛德琳走了，可她的影子仍旧无处不在：十三岁的玛德琳，尖削的手肘置在早餐桌上，过长的羊绒衫无精打采地向下垂落，愠怒的嘴唇像僵尸似的抹上厚重的白色唇膏——"妈妈，别大惊小怪的，每个人都这样打扮"。十二岁的玛德琳，光芒四射、耀武扬威，牢牢地占据英语考试的三甲。玛德琳在校长的办公室中，皮包骨头的白皙大腿死死扣在脚踝上，脑袋拘谨地向上翘起——"你的小女儿非常聪明，希斯罗太太。她至少得跳一级，两级也可以"。穿着毛圈短裤塑胶凉鞋的玛德琳在连锁店里懒洋洋地推着车，当她注意到了仓库里的男孩子们对她目不转睛时，她便扬起下巴，碧绿色的猫眼冷酷极了；十五岁的玛德琳，爬上沙发，修长的四肢缠绕在一名长发的大学新生身上，玛德琳静静地坐在晚餐桌边，拨弄她的食物，鼻子不屑地抽动。玛德琳的行为简直像极了吸毒的弱智，她紧紧拽住母亲的大腿，呻吟道："噢，大卫，大卫，请和我做爱。"玛德琳在精神病诊所里，雪白的手指慢悠悠地将烟灰抖落到地板上。贾罗德的嘴巴像是一道铁丝网，扯起狂号中的玛德琳的头发就往楼上拖，一旁观看的查尔斯和丹尼尔窘迫又惊讶。

多年来，玛德琳的存在都让两位优秀的男孩和她的妹妹卡米尔相形见绌。卡米尔一动不动地在旁静坐了许多年，不动声色地观赏她大姐的浮夸表演。接着玛德琳出走，卡米尔露出了头角，这位姑娘有精致的窄肩和长腿，浅棕色的秀发高高地扎成一股会跳舞的马尾。她充满了活力。她钟爱订制的衬衫和裙子，但是考虑到家里的经济状态，她做了一条绿黄色的蛇皮连裤衫，她穿上它在家里游行炫耀。她的注解把她的母亲逗乐了："当男孩子们说我假正经，我会说，'完全正确。要的就是这效果'。"她不是特别漂亮，但率真的眼神与明显的悟性比起大多数的漂亮姑娘要诱人得多。维吉尼亚开始留意起卡米尔，她不明白自己竟然纵容玛德琳如此霸占自己的视线。玛德琳的幽灵依然存在。

安妮的电话响起，玛德琳已然离开了一年多。那是夏末的一个夜晚。维吉尼亚和贾罗德在小间里看着电视里播放的《铁窗喋血》。落地窗大大地敞开。夜晚的凉风混合了沙沙作响的昆虫噪声。维吉尼亚的粉色毛衣松垮垮地套在肩上，她靠在贾罗德的手臂上坐着。酒杯在面前的咖啡桌上发光。维吉尼亚的烟还在金属烟灰缸里燃烧。他们的排骨大餐可口极了。

查尔斯喊她去接电话，她感觉到了一丝责任心。莉莉现在出了什么问题？她拿着酒和烟，抛开轻柔的暗黑，轻轻地踏上走廊，穿过回旋门，进入厨房。厨房里灯光通明，一股剩菜的味道平和地飘荡。查尔斯正在台面上吃着一盘柠檬果子露，她把查尔斯嘘走，随后一屁股坐到电话机下的红色高脚凳上，手肘支在膝盖上。"怎么了，亲爱的？"

莉莉刚从精神病院里出来："她能做的就是像个笨蛋那样无所事事，像个魔鬼那样边吞黄油三明治边喝茶。既然她已经被开除了，我想她是无法再回学校去了。我们试过把她送出去读书，可是也失败了。我不知道该怎么办了。"

玛德琳正在加拿大的某个地方。卡米尔在异地念大学。查尔斯和丹尼尔老是外出游玩。"为什么莉莉不来这边念书呢？"她说，"我刚把女儿们给卖了，你懂的。把她送过来吧。"

她过了四十分钟才回到小间。杰罗德弯成弓状地坐在沙发上，每当他在电视上看见了自由派便会不耐烦。他一心扑在《铁窗喋血》上，根本就没有问起电话的事。她静静地依偎在他身旁。

她本打算等到电影结束后再跟他谈谈莉莉，但她最终还是没有出声。许多天来她都计划着要告诉他。后来她才清醒地认识到自己是在拖延，因为她知道他一定会说不。于是她决意对他缄口。整整一个星期她都在设想莉莉到来以后的场景。

一个星期以后，她去机场接了莉莉。当她站在那儿，手遮着眼睛扫视着爬出飞机的乘客，她领悟到自己的潜意识里是希望莉莉能长着一副玛德琳的模样。就在她发现这个瘦弱、苍白、棕发的女孩时，她的心里起了微微的波澜。即使维吉尼亚调整了期待，莉莉的外表还是让她大吃一惊。她从未设想到会是这样一张严肃的面孔。莉莉夹在人群中向她走来，维吉尼亚体会到在这姑娘身上的一种怪异的孤立无助。一双灰色的眼睛大而敏锐，但似乎又像是被蒙上了一层纱，好像她希望往外看，却不允许别人朝里看。她的嘴巴和下巴呆板拘谨，确切来说是痛苦。维吉尼亚好奇地愣住了。

她给莉莉买了一罐葡萄味汽水，然后带她上了车。那一天很潮湿，座位又黏又热。她们摇下了所有的车窗，维吉尼亚打开收音机调到一个摇滚电台。车驶出了收费站后，莉莉的话才多了起来。她聊起了佛罗里达。维吉尼亚又惊又喜。她大笑着说："好吧，我们绕着屋子追逐龙虾，搞得我们变得稀奇古怪的，我们只是无法同时关上门和窗子。"

"或许异国情调这个词并不妥当，"莉莉说，"你只是恰好与我们截然相反。妈妈给我们看过你的照片，你总是一副自信心膨胀的模样。我记得有一张玛德琳和卡米尔的合影。她们两人翘起屁股站立，其中一位——我猜是玛德琳吧——她的脚是踏在什么东西上面的吧。她们金发碧眼，看上去很有自信。"

维吉尼亚想起了安妮的全家福照片。在这个集体之中，即使他们都摆出了灿烂的微笑，看上去还是被挤成了团状，一副逆来顺受的样子。似乎只要离开了这个家庭，他们就成了这个世界的陌生人，好像他们已经初露了锋芒，就像手心里捧着一件羞涩的礼物，他们渴望去炫耀他们的爱与幸福。安妮的女儿们有一种与玛德琳或是卡米尔完全不同的美丽。她记得在一张照片中，莉莉和她的妹妹道恩身穿火红的褶边太阳服蹲在沙坑上。她们的棕色秀发刚好搭在肩上，鲜艳的薄唇上留下了一抹羞涩的微笑，让人仿佛可以触摸到这份危险动人的脆弱。

"嗯，你们看上去都是这么的可爱。"她说，"我们敢说你们甜美得就像是水果派。"

维吉尼亚驶下了高速公路，载着莉莉穿进了山脉。她的车开上了一座山的顶部，在那里可以俯视一片湖泊和一些古老的暗色青松。附近有一座女修道院，那儿种植着树木、白色雏菊和小紫罗兰。她们下了车，散着步，直到维吉尼亚感觉到皮肤上冒出了一层汗。她们坐在女修道院边的石凳上，开始讲述各自的家庭故事。维吉尼亚很喜欢莉莉。她简直被她迷住了。她不明白这么聪慧的孩子为何不能在学校里好好读书。

她们回到了家，维吉尼亚煮了两杯咖啡。

查尔斯和丹尼尔放学回到了家。当他们见到了莉莉并且听说她将与他们共同居住后，他们非常惊讶。他们围桌而坐，维吉尼亚为他们做了椰子奶油派。三个孩子之间的对话精短礼貌。查尔斯说:"这个背包太酷了。我的姐姐玛德琳也有个类似的。"

男孩子们上了楼,维吉尼亚才开始担心起来。贾罗德快回家了,可她还没想好该怎么向他解释。

她决定去洗把澡,然后换上一件漂亮的裙子。她叫莉莉随便些,然后就上了楼。当她再一次下楼的时候发现贾罗德已经在厨房里了,他提前下了班。他站在桌边,涨红了脸,眼珠凶狠地就要瞪出来了。他注视维吉尼亚的时候简直把她当成了敌人。莉莉也满脸僵硬和茫然地注视她。贾罗德走出了房间。

她和贾罗德当晚就进行了谈判。且不说她的突然闯入,贾罗德原本就不喜欢她。"她太古怪了,"他说,"她根本不懂社交礼仪。她就那样直勾勾地盯着你。"他们穿着夏天的睡衣仰卧在床上,手臂尽可能地远离炙热的身体。电风扇的噪声很响。

"贾罗德,她很害羞,"维吉尼亚说,"她也很不安。这几个月来她过得很糟糕。"

"那是谁的错呢?为什么我们非得被牵涉到她的困境中去,维吉尼亚?回答我。"

维吉尼亚躺着一动不动,眼睛盯着自己竖立在床尾、赤裸的长脚丫子。她思考不出任何一个答案。

"她的脸色那么苍白，"贾罗德继续说，"她看上去就像从礁石下爬出来的。"

"杰瑞。"风扇将她的嗓音吹得柔软而模糊。

"我觉得贾罗德不喜欢我。"莉莉在第二天的时候说。

维吉尼亚正在洗碗。莉莉就在她的边上，身体用一条腿支撑着靠在墙上。

"他只是需要些时间去适应你。"维吉尼亚的手伸进水里捣鼓起餐具，试图想找点话题，"昨晚他告诉我，你让他想起了玛德琳。他爱玛德琳。"

维吉尼亚察觉到了莉莉的喜悦。

"可你明白的，玛德琳是这世界上最伤他的人了。这段记忆对他来说苦不堪言。"

"我猜到了，"莉莉说，"他说我就像是从礁石里爬出来的东西。"

贾罗德高大帅气，他的工作是向公司推销保险。他的英俊是一种阳刚锐利的气概。明亮的蓝色眼珠严肃真诚，细长的拱形眉毛让他有了一张缥缈如魔鬼的脸，呆板粗重的嗓子却与之不符。虽然他走路非常慢，但是很少会过度或者笨手笨脚。他很快就获得了成功。他们从不觉得自己是被迫住在墙纸脱落的小公寓里。许多年以来，维吉尼亚都深信贾罗德可以凌驾一切。他是可以的，直到玛德琳的出现。

贾罗德曾深爱着玛德琳。早餐时，他会看着她闷闷不乐地把鸡蛋在盘子里滚来滚去，而其他孩子唧唧喳喳，似乎就是她的无所事事和惨白容颜给了他工作的动力。他阅过她在学校里的所有试卷；他总想着要给她拍照。她可以叫他为她付出一切。他允许她夜不归宿。她十五岁，他允许她在纽约度过整个周末。不管她在哪里，即使有次她和一车的嬉皮士以及一名黑人去加拿大旅行，只要她发电报回家要钱，贾罗德立刻就送钱过去。要是他表现得苛刻了一点，她就眨巴着眼泪讨好他。偶尔几次他发脾气惩罚她，她便用沉默作为回应。当他拖她到楼上打她的屁股，她就从家里逃出去。一个星期以后她给家里打电话，接电话的是维吉尼亚，但是当贾罗德接起电话的时候她一把挂了。那是维吉尼亚第一次看到贾罗德哭泣。

"玛德琳真迷人，"贾罗德告诉莉莉，"她能把树上的鸟儿给迷倒。你没有那本事。你根本毫无任何个性可言。"

贾罗德对莉莉的反感强烈得出乎了维吉尼亚的意料。另外，虽然莉莉从来没有公开表示过，维吉尼亚仍然能体会到莉莉对他的厌恶。莉莉从不与他争论；她仅仅知晓他的存在。在她迫不得已要与他说话的时候，她会开启清晰的嗓音，灵敏地俯就屈身，似乎他的挑衅到了极点。

某天晚上，莉莉和维吉尼亚一起窝在后院的躺椅上，这时查尔斯和丹尼尔捧着一大块木头正向她们靠近。男孩子们射死了四只松鼠，剥下皮后钉起来。他们得意地显摆起这些毛皮，维吉尼亚称赞了他们。他们离开后莉莉才发话。她说她觉得恶心。

"我明白，是挺骇人的，"维吉尼亚说，"但他们年龄还小，这对他们而言算是很有意义的。他们这么做是为了引起他们爸爸的注意。"莉莉脸上突然闪过的一丝轻蔑让维吉尼亚深感不安。

"我懂了。"她说。

莉莉的存在渐渐地让人越来越不快，最终变成了仓皇失措的回忆，久久地笼罩在这座屋子的上方。但在不快之外，还是有一些鲜活的亮点，仿佛是来自于别处似的。

莉莉放学后，维吉尼亚就会陪她度过整个下午。她们换上牛仔裤和 T 恤，开车去她们第一次去过的大山。有时候她们会在冰雪皇后逗留一会儿，买粉色斑点杯装的冰激凌，冰激凌慢慢地融化为了糖浆。她们坐在引擎盖上悠悠地摆动双腿，手拿粉色勺子吃冰激凌，聊起莉莉家政课上的一位专横跋扈的女孩子，或者是被她称作"非比寻常"的男孩子。维吉尼亚说起她的高中生活，那时她很美丽很受欢迎，所有的女孩子都想和她做朋友。针对如何挑选朋友的问题，她给莉莉提了一些社交的建议。

她们到达了山脚后便下车步行。她们逐渐地沉静下来，全神贯注地走步。她们发现了一条小径，随手折了几根树上的枝条用来扫清道路。莉莉会停住脚步去观察一些植物或者昆虫，她紧锁着眉头疑惑不解。她会捡起许多东西装进自己的口袋，尤其是栗子。她会拾起一颗栗子，一路上都抓在手里，用手指抚摸，或者若有所思地摩擦自己的下嘴唇。

但有时，她们只是坐在厨房的桌子前喝茶。维吉尼亚在那些个午后将一些奇闻逸事讲给莉莉听。莉莉知道一些很少有人知道的关于维吉尼亚的事。维吉尼亚不明白为何莉莉如此信赖她。她一直很孤独。午后的厨房充满阳光与宁和。莉莉专注地聆听。她提出了疑问。她询问了许多玛德琳的事。

"但是你不喜欢玛德琳？"她曾问过，"难道在她成长的道路上就没有一些让人快乐的时光吗？"

"玛德琳本可以变成世界上最可爱最迷人的孩子——要是她想这么做的话。她会把 T 恤脱下来送给你——要是她心情好的话。至于你的问题嘛，不，我不喜欢玛德琳。我爱她——我深深地爱着她——因为我是她的母亲，我不得不这么做。可我不喜欢她。"

莉莉困惑无力地望着她。

"请你不要再重复这些了。这是隐私。如果哪天玛德琳过来对我说，'妈妈，莉莉说你不喜欢我，'我会说你在骗人。"

聊天的时候，莉莉的手肘就放在一小堆课本上。她每天背着这些书在学校和家庭来来回回。其中一本书的绿皮开了裂，露出了灰色的硬纸板，一条脏兮兮的保护胶带正欲爬出那条爆破的书脊。每当莉莉听到贾罗德的车驶进车道，她便一把抓起书离开房间。贾罗德走进屋子，看到了她留在桌上的杯子，稀稀拉拉的糖渣子留在了清新的杯底。他从来不说什么，不过嘴角却满是尖刻。

维吉尼亚试图让贾罗德对莉莉好一点。"她有一种很特别的魅力，"她说，"她文静、低调。她用心聆听，有新颖的见解。"有时候贾罗德的表情像是他的确在聆听。

但是莉莉不会也不能向贾罗德展示她的迷人。对他而言，她表现出来的仅仅只有她最恼怒的一面。它们真的非常令人恼火。一家人吃饭的时候她很少说话，她或者刻意低下头咀嚼，或者呆呆地看着别人。她过滤了贾罗德，有时候她也会无视维吉尼亚。她很挑剔，她总是谈论着世间的不妥。她从来不帮忙洗碗或者别的事。她总是走近冰箱吞掉最后一块比萨或者乳酪蛋糕或者任何的甜点。她会讲一些离奇的怪事，然后当你想让她解释一些的时候，她就会说："噢，别放在心上。"

她会坐下环顾四周，似乎有人正拿着棍子打她。她会贴在墙上。她很绝望。

九月，莉莉整晚拿着书坐在小隔间的地板上，一边阅读一边用蓝笔画下一道道粗大的线。维吉尼亚会坐在沙发上读报，正方形的棕色眼镜就架在她的鼻尖。电视开着，总是播放一档她俩都不爱看的脱口秀节目。咖啡桌上有一大罐她们两人都爱吃的经济装的橄榄油。她们断断续续地闲扯，维吉尼亚喜欢想象自己无声的在场是对莉莉好好学习的鼓励。

九月，莉莉的考试成绩非常好。她的美术老师赞美了她的画作。她的人文试卷得了 A+，老师拿着它在全班面前大声地朗读。维吉尼亚打电话给安妮，念给了她听。

到了十月，莉莉就不待在小隔间的地板上学习了。她把书脊破碎的课本留在沙发上，上楼关上房门。维吉尼亚能听见门板后面数小时的无线电波。她抑制不住兴奋，她想知道莉莉究竟在那儿做什么。

到了周末，她的那些长发朋友就会出现，那一整天她都会消失。到了夜里，他们听见纱门砰地关上，莉莉蹑手蹑脚地经过小隔间，她的喇叭裤沙沙作响，她的脸上隐隐约约地折射出温暖与幻想。她悄无声息地飘过门厅。

十月的第二个星期，信先生，也就是学校的校长，他给维吉尼亚打了个电话。他说莉莉在班里很粗鲁，她嘴里总是吐出淫秽的语句。两周以后他的电话又来了，这一次他认为莉莉是在吸毒。

维吉尼亚感觉信先生的声音很可憎。她觉得他是蓄谋已久要迫害莉莉的，原因呢，就是他对于莉莉的淫秽语言和毒品毫无驾驭的能力。莉莉曾提过信先生说她的智商低于常人，她应该待在精神病院里，她父母将她抛弃完全可以理解。一开始维吉尼亚很气愤。她考虑过要贾罗德打电话给信先生，叫他别烦莉莉。不过很快她就料到贾罗德和信先生是统一战线的。她陷入了左右为难的境地。毕竟，信先生是对的，莉莉的确会时不时地说出一些淫秽的话。她的确吸了毒。

这天是莉莉的生日。贾罗德去外地出差了。丹尼尔和查尔斯为她买了一副塔罗牌和一对耳环。冰箱里有一盒蛋糕。维吉尼亚打算问问莉莉晚餐想吃什么，不过莉莉到家后却亢奋地说不出话来。她设法表现得自如些，但是不行。她说了些离奇的事然后咯咯地傻笑。莉莉几乎很少傻笑，这笑声诡异，让人难受。

维吉尼亚让男孩子们去隔壁的朋友家。然后她去找莉莉。"你永远都是个麻烦，"她说，"我不会原谅安妮把你扔给我，哪怕这个可怜的女人可能不顾一切地想摆脱你。"她不记得之后自己还说了什么。她愤怒极了，所以不会是什么好话。她回想起莉莉的沉默，仿佛她在变小，小得凹了下去。她不停地揪着她嘴前的头发并攥住不动。

这与当初玛德琳被维吉尼亚发现吸毒后的表现完全不同。维吉尼亚可以对玛德琳尖叫，嚷嚷一切她想嚷嚷的。玛德琳会跟着她，修长的双腿踏着大步，双眼喷薄欲出。她吼道："妈妈！妈妈，你知道的，那东西狗屎不如。那次你……"

不过莉莉只是站在那里，越来越无动于衷。

那一夜，维吉尼亚和莉莉睡在一起。她走进她的房间，她不再生气，而是秉着一种责任感去关心莉莉，要让莉莉知道她的担心，她并不是孤零零地在对付毒品。

她发现她身上包着所有的衣裳，睁着眼睛躺在床上。维吉尼亚帮她换了件睡衣，还盖了块毛毯。她关上灯，爬上床与她睡在一起。莉莉紧紧地蜷缩身体，脸贴近墙壁。这让维吉尼亚以为她不明白为何维吉尼亚会在那儿。

维吉尼亚说："嗯？你不想聊聊吗？"

莉莉久久都不做声。接着她说："聊什么呢？"

"你脑子里所想的一切。"

又是一段长久的停顿。

"我的脑子里一片空白。"

她的话毫无条理，不仅仅是她，两人都如此。维吉尼亚突然很希望她能回家，回到密歇根。那样大家都会轻松多了。她要做的就是告诉贾罗德她吸毒了。

"好吧，很有趣。玛德琳是个话匣子。"

"是吗？她都说些什么呢？"她听来真的很有兴致。

"哦，是关于男孩的。其中一个很特别。大卫。我能记住这个名字就是拜她一次又一次地埋怨所赐。"她并不想表现得很挖苦，但是这很难办到。

莉莉没有说什么。

她们安静地躺着，甚至都不抓痒或者动一下。每当有一个人要吞口水，很明显都是尽可能地压低声音。她想自己是不能合上眼睛了。她记得她们一同分享的午后对话与山中漫步。现在一切似乎都失去了意义——就像万花筒里一瞥而过的色彩。她感到一丝不悦的寒意。

维吉尼亚转过身子，毛毯在漫长的孤寂中发出了刺耳的声音。她突然猛地一动，身体贴住莉莉，用手臂抱住了她。她在等待，等得害怕了。

好几秒钟莉莉都没有反应。维吉尼亚可以感觉到她身体里的每一寸肌肉都在慢慢紧绷。莉莉的身体僵硬起来。她的背出汗了。

她们就那样长时间地躺着，极不舒适。既然已经转过来，那就很难再转回身去。

隔天，他们在看电视，一边还从膝盖上的纸碟里挖一勺生日蛋糕吃。贾罗德说："嗯，你十五岁了？"

"我不知道。"莉莉说。

似乎她是真的不知道。她抖得很厉害。贾罗德也没有再说什么。查尔斯不再吃蛋糕，而是盯着莉莉看了很久很久。他的视线焦虑不安，只因为一件事，莉莉很喜欢吃蛋糕，可她没有动她的那块。

维吉尼亚没有把毒品的事告诉贾罗德，但是总的来说他是摆脱了莉莉。她和她的朋友们外出住了一晚，第二天她回来的时候，他已经把她的行李都打了包。他们花了不到一小时就开车将她送至了机场，留下她和装满衣服的巨大的白色购物袋，等候着班机。维吉尼亚和她吻别，不过这不算什么。

那晚安妮的电话来了。莉莉没有回家。她飞去了加拿大。"这一次，我想我不会再把她交给任何人去照顾了，"安妮说，"什么好处都没有。我们过去所做的一切都没有好处。"

"别自责了。"维吉尼亚说道。

之后的好几天里，贾罗德都在数落莉莉在的日子是多么糟糕。然后他就忘了。查尔斯是最后一个提起她的人。就在维吉尼亚接到了玛德琳的电话之后。他说："你和爸爸老是把莉莉认作为与玛德琳一样的人。但是她们根本一点儿都不像。"

往后的一阵子，生活还算美好。玛德琳的行为依旧白痴，不过似乎始终稳定在一种无害的模式中。她有了一份安定的工作，在南卡罗莱纳的一家绿色食品餐厅做服务生，给她打电话，她便谈论星际旅行和水晶疗法。卡米尔进了哈佛的法学院。她和一位英俊友善的教学法硕士订了婚。她极为壮观地写了十二页的信给母亲，色彩斑斓的信纸上满是紫色或蓝绿色的墨水。她描绘了她的老师与同学。她诉说了自己有多么爱凯文，是多么渴望生孩子以及有一份工作。她记载了自己的梦想和她已经参观过的艺术展。维吉尼亚想象卡米尔端坐在课堂上。她的双腿安宁地交叠在身前，下垂的身子展现出了女性特有的傲慢和舒适，不过她伸直了脖子，用一双大眼留心地注视。她想象她坐在一家露天咖啡馆，消瘦的膝盖淘气地跷在桌子下，修长的双手盖住温暖的咖啡杯，而她正前倾着身子和朋友们一起大笑。她看到卡米尔与凯文漫步校园。他的棕色夹克衫松垮垮地搭在她的肩上，保护着她。

丹尼尔和查尔斯的成长毫不费力。他们与一伙吵闹的男孩子聚在房子周围，那些家伙看似都有一双轻盈活跃的手臂，但声音却刺耳恶毒。有时，他们的眼神呆滞粗野。他们讲残忍暴力的笑话，他们虐杀动物。他们欺负别的孩子。但是他们身上的某种可爱与脆弱却在意想不到的时刻绽放出来。他们依然是她的小男孩。她能从查尔斯的呼唤里找到。"妈妈？"当他在夜里无法入睡。她经过他的房间，听见他的声息从黑暗中忧伤地飘浮出来。她会探进去，看见他穿着灰白相间的睡衣坐着，在床板的衬托下，他越发显得消瘦，金发一簇簇漂亮地立着。她至少会在他的床边坐一小时。有时候她会脱下他的上半身睡衣，温柔地抓他的背。他喜欢这样。

丹尼尔在十五岁的时候找了一个女朋友。她十四岁。她很矮小，满头黑发，双手格外温顺。她有一张圆润甜美的脸和一双焦虑的眼睛。她担心着生态学之类的东西。放学后，她和丹尼尔坐在厨房间咬着维吉尼亚做的三明治，同时还在讨论环境保护组织和鲸鱼。她的双脚伸在条纹的网球鞋里，几乎触不着地板。丹尼尔一边咬三明治一边称赞了她。他不再用 BB 枪射杀松鼠。

到了查尔斯十二岁的时候，他参与了学校的演出。他们中学的作品名为《彼得·潘》，讲述了一位爱吹牛的男孩子，他扮演其中的一个迷失男孩。这个角色微不足道，他对此漠不关心，不过他非常喜欢穿上那一身做作的破衣衫，还有画上恶魔似的黑眼。维吉尼亚看见车道里亮起了一束光，然后车门猛地被关上，她听到压低了的嗓音。房门发出巨响，查尔斯便出现了，巧妙地炫耀起他那磨损的灯笼裤和拍动的袖子。他会从厨房里抓一些食物然后转向小隔间，用嘲讽的口气大声地念着他的台词："你看，先生，我想我的母亲不会乐意我做海盗的。您的母亲会愿意让您成为海盗吗，斯莱特雷？"

她在公演之夜观看了演出，她与贾罗德、丹尼尔坐在前排。查尔斯在舞台上充满生气。他轻快的动作比起任何一个演员都来得权威，当然除了主角之外。她没法把视线从他身上移开。饰演温迪的苍白小女孩穿了件白睡袍，晕厥在了他的跟前，长长的棕色头发拂开在他的脚边。他说："每当有女士进入我的梦乡，我说：'美丽的母亲，美丽的母亲。'但是当她真的靠近了，我便会开枪杀死她。"她的眼泪夺眶而出。她看向贾罗德，只见他满脸微笑，迅速地眨眼。查尔斯说，"我知道我就是吹牛的孩子，没有人注意我。不过谁敢第一个不像英国绅士那样对待温迪，我就会严厉地处决他。"

演出结束后，维吉尼亚跑去了化妆间。那是一间旧教室，沉重的木头镜子支在墙壁上，纸板箱里塞满了化妆品，桌上堆着冷霜。孩子们在屋子里跳跃，用尖刻的嗓子扯着唱着演出的歌曲。他们的眼睛一张一合，充满光芒与魔力。维吉尼亚找到了查尔斯。她看见他从罐子里挖了一些冷霜，然后转身拍向一个胆小的女孩的脸。女孩痛苦地微笑着，又想尝试大笑。另一个女孩用手指着她大笑起来。查尔斯逃走了。

　　她梦见了自己在和莉莉说话。她们坐在厨房的餐桌边，面前有两杯咖啡。她说："生完丹尼尔后，医生告诉我我不该再要孩子了。他们说那会很危险。我躺在医院里，他们闯了进来开始嚷嚷，'既然你在我们这儿，我们就要给你结扎输卵管。'我说，'不，不，你们不能这样。'我不想让他们动手。第二年我有了查尔斯。"她傻乎乎地对着莉莉笑。

　　梦里的莉莉回了一个笑容。"查尔斯很优秀，"她说，"我想他是一个天才，不过某种意义上来讲人们并不能理解。"

　　"别让丹尼尔或者贾罗德知道我的话，不过查尔斯是我最疼爱的孩子。他很珍贵又很特别。只要我想到会有人伤害他——伤害我任何一个孩子，尤其是他——我就会化身为一头母老虎，猛烈地回击。我要不顾一切地保护他。"

　　"为什么你觉得会有人要伤害他？"莉莉问，"只是忧郁过度吗？"

她愧疚地醒了过来，害怕甚至迁怒于莉莉。蒙眬之中，她想识别清楚。为什么她会有这样的感觉？医生并没有想帮她结扎。她与莉莉之间没有说过这些话。她回过头去睡觉。

丹尼尔十六岁了，他换了个女友。她同样很矮小，有一头黑发，戴着一副浅棕色的眼镜。她写诗，满口的女权主义。维吉尼亚是在他们前去舞会的路上捕捉到了这些简单的印象。这个穿着长袍和胸衣的女孩又窘迫又紧张。丹尼尔英俊得满不在乎。

查尔斯成了精致而漂亮的青少年。他有碧绿的大眼，细长的睫毛和脖子。他慵懒的样子就像一只高傲的猫咪。女孩们为他着迷，她们胆怯地尖着嗓子叫他，请求与他说话。他对她们很粗鲁，他高高在上。唯一一个让他倾心的女孩却平凡无奇神经兮兮，穿着一件皮革衫，头漂染得花白。不过一切在女孩被送去某家慈善机构之后终止了。

卡米尔在毕业的一周后就结婚了。她和凯文飞去新泽西举办了婚礼。他们在小隔间里摆了姿势拍了照。随意摆放的鞋子和散乱的报纸汇成了嘈杂的背景，却映衬得他们光芒四射。

每个人都绕着屋子谈笑风生，口中还塞了一大块白色的蛋糕。凯文的父亲与贾罗德握了手。凯文的母亲在厨房里帮忙。

卡米尔和凯文去西班牙度蜜月。接着他们搬去了纽约，也找到了工作。卡米尔写信用的是深灰色的信纸，而信纸的抬头上印着"凯文博士和凯文太太"。

第二年的春天，玛德琳结婚了。她嫁给了一位曾在绿色食品餐厅里招待过的南方律师。

"难道你不知道？"安妮说，"她很可能是为了刺激你。她才不会允许卡米尔占据所有人的目光。"

"这就是她一直渴望要的东西，"贝蒂说道，"一个爸爸。"

约翰比玛德琳大了十岁。他有宽厚的肩膀，步伐很慢，灰色的眼珠分外懒散。玛德琳紧紧地依偎在他身上，手安静地搭在他的衣领上。

贾罗德观察着他们，眼里是深深的许可。这便让他得以放松地与他们交流或者旁观。

让维吉尼亚高兴的是，玛德琳终于找到了一个正常的人来照顾她。她为这位美丽的新娘子和成功的女婿而感到骄傲。她享受着一种洗脱冤屈的喜悦，如今玛德琳算是有了这么一个传统的结局。

这对夫妇搬去了约翰位于南加州的农场。玛德琳烤面包，料理家务。她生了一个大胖男孩，名叫格雷芬。维吉尼亚拍了一张照片，玛德琳怀抱着裹着毯子的格雷芬，咧着嘴笑的她，眼睛里还有惊愕与野性的闪烁。约翰抬着下巴站在她边上，漫不经心地笑着。玛德琳向他征询建议时的声音谦逊又紧张。

维吉尼亚给安妮打了电话。"我很高兴，"她说，"他从不让她为所欲为。要是她开始唱高调了，他马上就会纠正他。她喜欢这样。"

丹尼尔高中毕业后就去大学念工程学了。他带上了厚重的毛衣、袜子和成箱的磁带。维吉尼亚拍下了他穿着巨大的奶油色毛衣站在火车站的样子。穿着网球鞋的双脚紧紧靠拢，肩膀耸了起来。他宽容地朝着一片空寂微笑，一簇长长的金发吹过了他的前额，轻轻地拍打着一只眼睛上的睫毛。

下午，维吉尼亚站在厨房里洗碗。她穿着一件毛衣、一条宽松的长裤外加一双肥大的灰色短袜。她把头发束成高高的马尾。阳光很温暖，而她的双手在轻轻荡漾的洗碗水里，也很暖和。收音机开着，播放着情歌，播放着关于孩子和家园的歌。维吉尼亚边洗碗边唱歌，她唱着玫瑰、蓝色知更鸟还有幸福的眼泪。她明白这些歌很乏味，不过它们却让她沉醉了。它们是电波音乐的符号，太过复杂与玄虚，无法精确地描述。

他们在夜里烤肉。他们吃牛肉和土豆，还有伴着菜叶子的油腻沙拉。他们像帝王般庄严地坐在草坪躺椅上，望向他们的后院以及整片树林。查尔斯与贾罗德争论着他高中毕业后的去向，以及纽约是否丑陋。查尔斯总是说："哦，别在意。"然后继续埋头大吃。当他吃完后便起身飞奔至屋后的小密林。维吉尼亚和贾罗德独自坐着，满足而优雅地披着夹克衫。

维吉尼亚在灯光微弱的厨房里把碗碟放入了洗碗机，刮下骨头和油腻的纸巾，扔进巨大的黑色垃圾袋。这里听得到小隔间里传来的电视机噪声，还有贾罗德翻阅报纸弄出的低沉粗哑。查尔斯进来了，表情冷漠，轻盈的夹克衫啪嗒啪嗒作响。她伸手绕住了他的脑袋，然后拉近她的怀抱，在他挣脱和逃离到客厅之前轻吻了他一下。

有时候她会拿着一大堆黑胶相册坐在长椅上。一本相册摊开在她的膝盖上，展示出一片红色的滑雪服，圣诞树，一大把叮铃叮铃的玩偶，还有漂亮的高个儿童们快乐地微笑、画画。手里装满了青草与巧克力的复活节篮子。清扫树叶。赢来的奖品。婚礼和毕业典礼。长长的缎带装饰花束。

她不得不提醒自己，安妮和贝蒂的家庭也都有着各自不同的美满，贝蒂的一个女儿被证实是一名天才，进入了一所高级学校。

她给安妮写信，信中说道："我们越发肥胖与时髦。"

冬天了，卡米尔的电话来了。她问了维吉尼亚的情况，然后等着维吉尼亚的回答。她问起了玛德琳和那些男孩子们。接着她说："妈妈，我堕胎了。"

维吉尼亚都快窒息了。"你被强暴了？"她设法这么问道。

卡米尔哭了起来。"不。"她说。

维吉尼亚等着卡米尔调节好嗓子。

"不，"卡米尔说，"凯文不想要孩子。我偷偷地让自己怀上了孩子。我以为他会改变主意，但是他没有。他疯了。他说如果我不打掉孩子，他就和我离婚。"

维吉尼亚放下听筒的时候都感觉不是自己了。她泡了一杯咖啡，走进了小隔间。她坐在沙发上，穿着一只灰色短袜的脚撑在咖啡桌上。她不懂凯文为什么不想要孩子。

她没有跟贾罗德说起堕胎的事情。

卡米尔回来探亲。她穿着蛇皮连身裤在屋里走来走去，小屁股活泼地一抽一动。她叙述了成为公司律师的过程，然后戏弄了"爸爸"。维吉尼亚赞美了她。不过她注意到了她嘴角僵硬的唇线。

卡米尔还拜访了玛德琳。她们一起住了两天，然后她才飞去了纽约。很快她就给维吉尼亚寄来了一封信，说她感觉在约翰和玛德琳之间发生了些怪事。玛德琳很敏感，她说。约翰肆意地差遣她，所用的方式极其恶劣。她说有天晚上她醒过来，听见有人在有节奏地重复掴耳光。这持续了五分钟。第二天玛德琳的气色不错，卡米尔也就不好意思说什么。

维吉尼亚那晚给玛德琳打了电话，这时贾罗德已经上床了。她的声音里听不出任何的异样。维吉尼亚挂了电话后，披了件旧的灰色毛衫，从一个房间走到另一房间。房里黑压压空荡荡。它们似乎变得陌生而诡异，但这并没有逼得她想上楼或是去开灯。她的双脚立在一间黑暗的卧室中央，毛衫环在身上。她站着，什么都没有想，只是聆听风声和房子里微弱的轰鸣。

查尔斯和贾罗德打架了。查尔斯高中毕业了，但是却不想去读大学。他只是想搬出这个家。贾罗德想让他明白他的立场是愚蠢并且软弱的。"玛德琳认为自己会走上一条与众不同的道路，"贾罗德吃早饭的时候说，"看看她现在，结了婚，做了母亲；在她混乱的生活中第一次享受到了幸福。"

"我仍然觉得玛德琳很脆弱很敏感。"查尔斯说。

战火持续了一个星期。然后查尔斯失控了。他说："我宁愿在波威街卖笑，也不要像你一样无能。"

"查尔斯。"维吉尼亚说。

贾罗德穿过屋子，用皮带狠狠地抽了查尔斯的脸，把他从椅子上敲了出来。维吉尼亚把眼镜摔进了水槽里，然后奔向查尔斯。"你竟然敢打我的儿子！"她尖叫。

"噢，滚出去，你个蠢蛋。"查尔斯说。他厌恶地抹去嘴边的血迹。

维吉尼亚开始在小隔间里坐到很晚，喝酒，凝视自己灰色的双脚。她开始说些刻薄的话，但没有人在意。贾罗德叫她"母亲"。"好了，母亲。"他说。

查尔斯搬去了纽约。他在一家唱片店里谋到了一份工作，在曼哈顿的下东区租了间公寓。此外，很难说清他在忙些什么了。

维吉尼亚打给了卡米尔。卡米尔认识了一拨了不起的新朋友，正在逐步走向成功。她讲了许多有意思的故事。不过她紧接着说道："我不知道自己该不该告诉你，不过我真的憋得很难受。上个月玛德琳告诉我约翰打她。可能没那么严重吧。不过的确是事实。"

她停了停好给维吉尼亚时间说点什么。维吉尼亚静静地坐着凝视厨房。

"当然，我们都知道玛德琳这个人有多么麻烦，"卡米尔继续说，"但是他也没有权利揍她。"

维吉尼亚感觉这次对话已经蒙上了一层谎言。卡米尔说了那么多高兴的事，然后在最后告诉她玛德琳的事。维吉尼亚觉得这有点怪。她在电话下的长凳上坐了很久很久，双腿紧紧交叉，手肘搭在一条腿的膝盖上。她思索着厨房到底有多苍凉。地板边上漫起尘球和微小的面包屑。平底锅里油腻的水流到了整个柜台上。冰箱顶部是黑色的。屋里的一切似乎都偏离了它本来的目的。

到了秋天，丹尼尔决意不再继续学工程专业，他退学了。贾罗德和他在电话里争执了很久很久。贾罗德挂掉电话后就冲进了车库，坐到了车里，脖子上围着条围巾。他整整坐了一个多小时。维吉尼亚听见了汽车的引擎声，笨拙地轧轧声，然后又熄火。这样重复了好几次。她摸不准贾罗德是不是还会再次驾车去哪里然后改变主意，或者只是想取暖。

两周后，卡米尔和凯文离婚了。她把行李装进了包和箱子，然后搬去了一位女朋友的家里。她尽可能像在开玩笑。维吉尼亚拍下了她与朋友坐在沙发的样子，她们两人都裹着毛毯，喝着茶，相互扶持。

这张照片很美丽，但很像未成年。

每个人都回家来过节。玛德琳和卡米尔在此期间不时地拥抱。圣诞节那天，她们整日穿着睡衣和拖鞋。她们紧靠在一起，搓着对方的手。她们亲密地交谈，维吉尼亚只能听到一点。当有别人过来说话时，她们的脸便略微有些僵硬。玛德琳很困难地才把一句话完整地说出来。

似乎没有别人留意到这些。"玛德琳向来很轻浮。"贾罗德说。

查尔斯脸色很苍白。他在圣诞宴上挑肥拣瘦，吃得很少。他的餐盘里一大堆碎食。丹尼尔吃了很多。不论是说话还是在屋里走动，他都不忘记吃。他的格子T恤上常常会留下浅棕色的面包屑。

维吉尼亚只拍了一张照片。效果很差。玛德琳的眼里泛着茫然的绿斑。卡米尔的脖子死板地伸直，双眼膨胀。丹尼尔的眼睛向上翻起，鼻孔向外展开。查尔斯犹豫着缩在沙发上，他的手盖住了一张恶意小精灵的脸。贾罗德，在照片的边缘出现了半张脸，冻结在了麻木的姿势中。

维吉尼亚和贾罗德正在小隔间里看着午夜的电影，此时玛德琳的电话来了。维吉尼亚想装作没听见。电话响了八次。"你准备去接电话吗，亲爱的？"贾罗德说。

玛德琳的语气很平静："妈妈，我现在在查尔斯顿的汽车站。约翰和我打架了。他打伤了我的鼻子。格里芬和我准备回家了。"

她在早上四点半到达了家里。维吉尼亚穿着厚法兰绒睡衣，站在门边看着一辆出租车驶进了车道。耀眼的车灯让玛德琳浮现了出来，一个瘦弱的女孩包在一件肥大的军装大衣里。车门关上后，她成了缓慢却被捆绑的人影，在车道的砾石上曳步而来。"妈妈？"她的声音羞怯甜美。

她拖着一只行李箱和一个大大的购物袋。格里芬这时才起身。他看上去很疲倦很留恋。他的金发有点过长了。

约翰的电话打来了，不过他们挂断了。他威胁着说要来接走玛德琳，不过贾罗德说要是他敢他就杀死他。

玛德琳在镇上找到了一家公寓。她还在花店找到了一份工作。玛德琳上班，维吉尼亚就在白天照顾格里芬。格里芬是个害羞伤感的小孩，说话一段一段的。他严谨，善于分析和观察。他激起了维吉尼亚的保护欲和悲伤。她努力不让自己的悲伤表露出来。

几个月以后，花商允许玛德琳把花带回家弄，于是她可以和格里芬在一起了。

周末的时候，玛德琳和维吉尼亚会去采购衣服或是一些生活用品。

她们很安静，彼此的做伴很轻松。玛德琳借了些书给维吉尼亚，然后两人再一同讨论。

维吉尼亚惊讶地发现玛德琳的公寓竟然如此漂亮。她喜欢早上捎上一些樱桃芝士糕点或者水果去那里。玛德琳会待在大而空旷的主卧室里，穿着棉袍靠在一个枕头上。阳光透过一扇无帘的窗户洒了进来。那里有白色的塑料玫瑰、鸢尾花、小苍兰、染色的康乃馨、天堂鸟以及紫红色野雏菊。地板上潮湿卷起的报纸上盖着一束花。剥好的玫瑰荆棘就像掉了牙一样躺在纸上。

玛德琳的动作机敏迅捷。她的脸安详美丽。她看上去完全满足了。

维吉尼亚觉得她就是个彻彻尾尾的陌生人。

维吉尼亚和贾罗德之间越来越沉默。他们仍旧观看午夜电影，不过他们很少再依偎在一起。贾罗德很快就累了，便上楼睡觉。他总是在维吉尼亚上来之前睡着。

有时候她觉得贾罗德看上去太迟钝愚蠢。吃早饭时，他弯下腰看报纸，紧皱着嘴巴的脸朝下，他看上去就是条大鲨鱼。他的眼睛里写着不赞成。他的鼻子变得和猪一样呆板。

她明白，他是觉得他的孩子们都太失败了。

卡米尔找到了一间很不错的住所。她开始与一位她仰慕已久的男士约会。她经常去新泽西。她通常和玛德琳住在一起。维吉尼亚开车带着她们一起去山上。她们一起吃冰激凌，侃着家里的笑话。女孩们会躺在后座上咯咯大笑，卡米尔的手放在玛德琳的大腿上，另一只手把她的头靠在自己的肩膀。

他们得知查尔斯出事是在清晨。贾罗德刚刚进去洗澡。钟控录音机在两个电台之间摇摆，交错于天气预报和一首唱着把你女朋友抛弃的歌曲。维吉尼亚在尝试着忽略这噪声，她简直都能感觉自己的前额皱了起来。她把头深深埋进枕头里，聆听起浴室传来的温暖却枯燥的呼呼声。电话铃响了。她睁开眼睛，红色闹钟的数字显示 6：15。要不是铃声响个不停，她真不会去接电话的。

他开着朋友的车从纽约州的北部驶出。他喝得很多。他在转弯时躲过了一辆卡车，却撞上了另一辆车，冲出了路面。他的车翻了，起了火。他的车烧坏了。另一位司机幸免于难。

维吉尼亚的生活渐渐成了一连串毫无意义毫无关联的事件链。她是一颗沿轨道运行的寒冷行星，无端地在遥远安静的星系里运动。这座房子里的一切是她不得不避免撞上的系列物体。食物无法沉入她的喉咙。她丈夫和孩子的脸成了抽象的图案，上面呈现出的各式形状象征了各种信息。若是把这些都记录下来真会要了她的命。

她每晚都睡在小隔间的沙发上。一开始只是自然而然的结果。她会戴着苏格兰眼镜坐在电视机前，这时贾罗德会亲吻她的额头然后上楼去。她会去厨房，从冰箱里拿点喝的。她会观看黄绿色和紫罗兰色的人在银屏上走动。有时候这也算是一种慰藉。

她在硬邦邦的小抱枕上入睡了。她总会因为衣领上的汗水和轻微的落枕而醒过来。

一天晚上，贾罗德握着她的手说："来吧，宝贝。上床吧。如果不去，你就要在沙发上睡着了。"

"我就是想睡在沙发上。"维吉尼亚说。

"不，你不想，"贾罗德回应道。他用力拖她的胳膊，"对身体不好。快钻进你那温暖的被窝吧。"

她猛地抽出了她的手："我不想睡在床上。"

她没说错。她根本不能容忍他睡在旁边，连想都不能想。他从她的眼里读了出来，他很伤心。他走了。他再也不提这事了。

玛德琳几乎每天都去看她。她在厨房里走来走去做清扫工作，而维吉尼亚就坐在桌边。维吉尼亚注视着她那副长而镇定的双手，关上壁橱，为餐具分类，用湿润肮脏的旧衣摩擦餐具。她记得玛德琳是如何东奔西跑制造噪声的。这样的回忆如此清晰，但是似乎又并不是她的回忆。

维吉尼亚重新开始为贾罗德张罗早餐。她在沙发边上又放了一个闹钟。她在凌乱的衣裳外又添了件长袍，她移向了厨房。她把她的一盘鸡蛋放在贾罗德的餐盘对面，然后吃个精光。贾罗德的下巴在生硬地咀嚼，他的喉咙成了根木头。不过只要他们开口聊天，她还是感觉得到舒心。

他会在离去之前抓起她的手亲吻。她会等着他走，然后重新坐下，哭泣。

安妮光临之际，查尔斯已经死了八个月。

维吉尼亚驾车去机场接她。重新开始掌握方向盘的感觉很陌生，周围有大量的车在环绕。天气很晴朗，原色金属的汽车在阳光下显得过分欢乐。她打开收音机，摇下了车窗。

安妮穿着灰色的外套在终点站等候。当她看见了维吉尼亚，她便把头撇向一侧，咧开嘴微笑，她举起手，呆板却疯狂地挥舞。

她们相互拥抱。安妮勉强够得到维吉尼亚的胸部。她们依然抱着不放，只是身体向后，两人大笑了起来。安妮有点儿斗鸡眼。"天哪，你瘦了好多，"她说，"我们回家吧，我要好好喂你。我饿坏了。"

她们闲扯着行驶在车流中。维吉尼亚并没有直接开回家。她下了高速公路后就径直开向了山区。安妮摇下车窗，手支撑在窗沿上。她说："这儿壮观极了。"

她们的午饭是夹蛋三明治和水果。维吉尼亚打扫了厨房，在桌上放了一瓶粉白色的康乃馨。水果切好放在一只奶油色的大碗里。她们悠闲地自取所需，有时候吃吃水果，直接用手指从碗中夹起水果。午后的阳光洒了进来，亮起了一阵闪烁的粉尘。

维吉尼亚聊起了卡米尔、丹尼尔和玛德琳。她谈起了卡米尔事业上的成功以及玛德琳为之所起的大作用。"尽管，她仍然活得像个嬉皮士。我想她根本就不怀念他们的大农场。她当然不会想念约翰的。她唯——一次提起约翰的时候，她说她一直在疑惑约翰竟然可以蠢到那份上。太不可思议了。就像什么都没发生过一样。"

"好吧，你明白的，有些人在毫无约束的生活里才能有所作为，"

安妮说，"这就叫做波西米亚人。莉莉依然遵循这种方式。"

"她好吗？"

"噢，当然好了。要知道，我根本就不担心她。自从开始对摄影认真起来，她的整个生活都变得稳固。她真的很努力地在工作。她为底特律的所有报纸和杂志服务。"

维吉尼亚望着盘子里的一片片水果。"我总是在想，只要莉莉愿意，她就一定可以成功，"她说，"她是个多么灵敏的孩子。我很遗憾自己没能帮她什么。"

"别这样想了。你不可能面面俱到。她太难捉摸了。"

"是的，"维吉尼亚说，"她是这样。"

"但是你留给她的回忆非常美好，"安妮说，"她过去常常跟我说起和你上山的事情。她说你们两个人一起在卧室里吞掉大量的橄榄油，这么多年来，每次看到橄榄色她就会想起你。"安妮张开大得有些可怕的嘴笑起来。

维吉尼亚凝视着水果。

"你知道她接着说了些什么吗？她说，'但那不对，因为维吉尼亚根本就不是橄榄色的。她更像金色。'"

"哦，别说了。"维吉尼亚开口了。

"但那也总让我想起你，即使你有时候极让人讨厌。你从来都是金色。"

安妮又一次笑了，半月形的眼睛有些忧伤。她看见维吉尼亚有些难为情，于是她低下头，拿起一片水灵灵的西瓜。她吃着西瓜，喜笑颜开。她的下巴动得优雅小心。

维吉尼亚很担心她会对安妮说些邪恶的事情，虽然她不确定这是怎么回事。她喝了杯咖啡。咖啡冰冷甜腻。

"怎么了？"安妮阴阴地、直勾勾地盯着她。

维吉尼亚瞥了她一眼："没事。"

他们为安妮的到访举办了一次传统的家庭烤肉。这是那一年里第一回烤肉，贾罗德很兴奋。在烟雾缭绕的烧烤架旁，他非常隆重，极显男子气概，他的手中拿着一把叉子。安妮紧张地搅拌沙拉，一边还与贾罗德讨论着她在底特律为老人提供咨询的服务工作。玛德琳走出了屋子，手里拿着一盘意大利冷面。她把盘子放上了纸板，然后手搭住了维吉尼亚的肩膀："你怎么样了，妈妈？你和安妮玩得愉快吗？"

"我们快乐极了。我们在山里开了很久。"

"哦，是的，"安妮说，"我们还爬出车，散步散了好久。我着迷了。那里太美了。"

"安妮定是藏了一把石头在口袋里，"维吉尼亚说道，"每一次我转过身，我都看见她在捡什么东西。"

"我热爱那里，"玛德琳说，"那是我灵魂的救赎。"她合起纸巾，微微地沿着纸板移动。

"你知道吗，当我变得越来越老，我注意到了一件事情，便是我对自然的敏锐，"安妮说，"我还很年轻的时候——十几岁吧——日出或是山景就让我震惊不已了，我感到害怕。"她望着玛德琳，抖起了她的肩膀。"然后，我步入二十岁后，我丧失了那种敏锐。"

"嗯，我肯定那并没有消失。你只是不得不关注起其他的事物。"维吉尼亚说。

"我猜也是，"安妮说，"可当我几乎已经没法对自然有所回应的时候，问题来了。我爱它如故，但它无法再感染我。既然我处在了衰老的边缘，我就要开始慢慢恢复对自然的感觉，被伟大的外部世界所激发。"她用脆弱的眼神看着贾罗德，眼镜垂在了鼻梁上。

"听起来很棒，"他说，"这说明你仍然对生活充满激情。这是漫长的岁月里最值得保留下来的东西，比金钱和成就重要得多。我们中的许多人都丢失了这点。"

"我相信的，"安妮说，"这就是为什么我很享受与老年人在一起工作。我会很惊讶地见到他们重新绽放，尤其是一些曾经在恐怖的疗养院里待过的人。他们率真得就像孩子——给他们个机会重新经历一切，这很刺激。"

"你乐于奉献。"贾罗德说。他看着安妮，眼神里带着温柔关怀的敬畏，是有那么一点害羞吧，似乎他是知道那种奉献远远超过了她的能力，不过他很高兴有人愿意这么做。

维吉尼亚倒觉得奇怪了。他们还很小的时候，贾罗德认为安妮又笨又保守，还有一点邋遢。但是现在的他，过了三十年，竟然用那样的目光注视她。

"牛排好了。"贾罗德说。

玛德琳把牛排盛进盘子。安妮和维吉尼亚负责张罗沙拉和意大利面。他们所有人都坐在草坪长椅上，从膝盖上温暖的餐盘里取食物吃。五分熟的牛排很鲜嫩，当维吉尼亚移动膝盖的时候，汁水就会跟着滴进沙拉和意面里。一徐清风吹散他们脸旁的头发，弄得他们痒痒的。大树在朦胧中沙沙作响。还有一些昆虫悦耳的叫声。

贾罗德顿了顿，叉起一块牛排举到了胸前。"就像天堂，"他说，"这就像天堂。"

他们沉默了几分钟。

图书在版编目（CIP）数据

坏举止／（美）盖茨基尔（Gaitskill, M.）著；刘怡菲译. —重庆：
重庆大学出版社，2013.12
书名原文：Bad Behavior
ISBN 978-7-5624-6995-7
Ⅰ.①坏…　Ⅱ.①盖…　②刘…　Ⅲ.①短篇小说–小
说集–美国–现代　Ⅳ.①I712.45
中国版本图书馆CIP数据核字（2012）第258761号

楚尘文化

官方微博：楚尘文化
公众微信：ccbooks

坏举止 huai ju zhi

[美] 玛丽·盖茨基尔　著

刘怡菲　译

特约策划　赖天成
责任编辑　陈冬梅
书本设计　小马　橙子

重庆大学出版社出版发行
出版人　邓晓益
社址　（401331）重庆市沙坪坝区大学城西路21号
网址　http://www.cqup.com.cn
印刷　北京鹏润伟业印刷有限公司

开本：880×1240　1/32　印张：9　字数：165千
2014年2月第1版　2014年2月第1次印刷
ISBN 978-7-5624-6995-7　定价：29.80元

版贸核渝字（2011）第67号